-Recettes-
EXPRESS

LAROUSSE

SOMMAIRE

PETIT BLA BLA...

PARCE QUE NOS VIES TRÉPIDANTES NE NOUS PERMETTENT PAS DE PERDRE DU TEMPS EN CUISINE, NOUS VOUS OFFRONS 65 RECETTES EXPRESS, À SAISIR EN UN CLIN D'ŒIL !

Vous avez envie de cuisiner mais pas le temps de déchiffrer 25 lignes de recettes ? Vous voulez bien acheter des crozets, mais n'avez aucune idée de ce à quoi cela peut bien ressembler ? Vous appréciez déguster de bons petits plats, mais l'idée de passer plus de 30 minutes en cuisine vous refroidit à chaque fois ?

Découvrez donc vite 65 recettes instinctives à comprendre et très rapides à préparer, pour vous régaler au quotidien sans pression ! Ici vous ne trouverez que l'essentiel : additionnez les + et suivez les flèches ; aussi sûr que 1 + 1 font 2, ces 65 recettes et vous allez faire des merveilles !

LA FORMULE EST SIMPLE : suivez les images, vous obtiendrez la recette : bienvenue dans la cuisine de la simplicité !

01

HOUMOUS
à la betterave

—

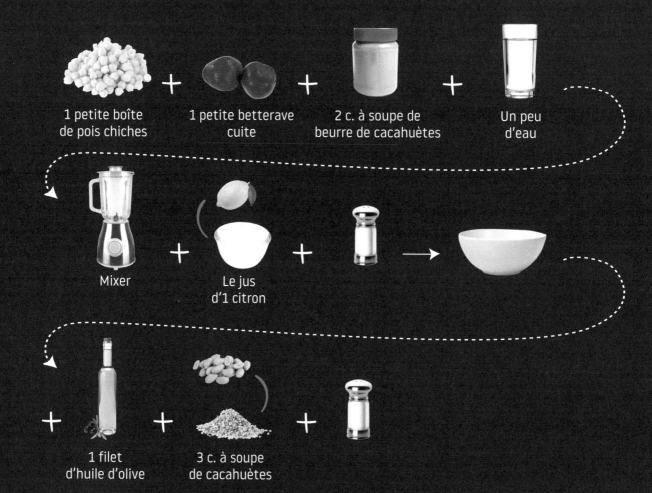

1 petite boîte
de pois chiches

1 petite betterave
cuite

2 c. à soupe de
beurre de cacahuètes

Un peu
d'eau

Mixer

Le jus
d'1 citron

1 filet
d'huile d'olive

3 c. à soupe
de cacahuètes

02 CHIPS SANS FRITURE,
pecorino et poivre

—

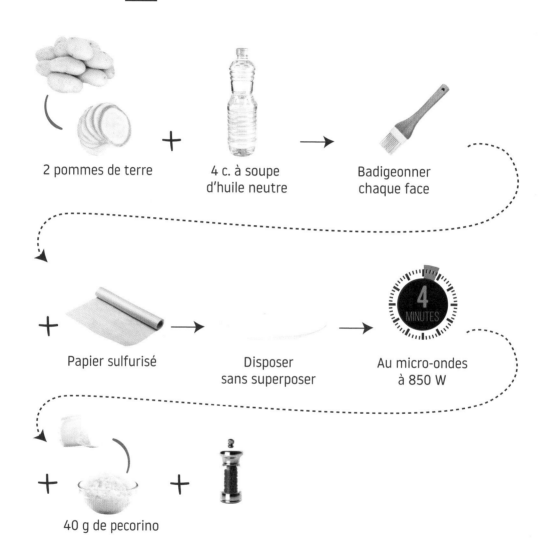

2 pommes de terre

+

4 c. à soupe
d'huile neutre

→

Badigeonner
chaque face

+

Papier sulfurisé

→

Disposer
sans superposer

→

4 MINUTES

Au micro-ondes
à 850 W

+

40 g de pecorino

+

POUR 4 PERSONNES

PRÉPARATION : 15 MINUTES

CUISSON : 5 MINUTES

03 PAIN HÉRISSON
mozza et sauge
—

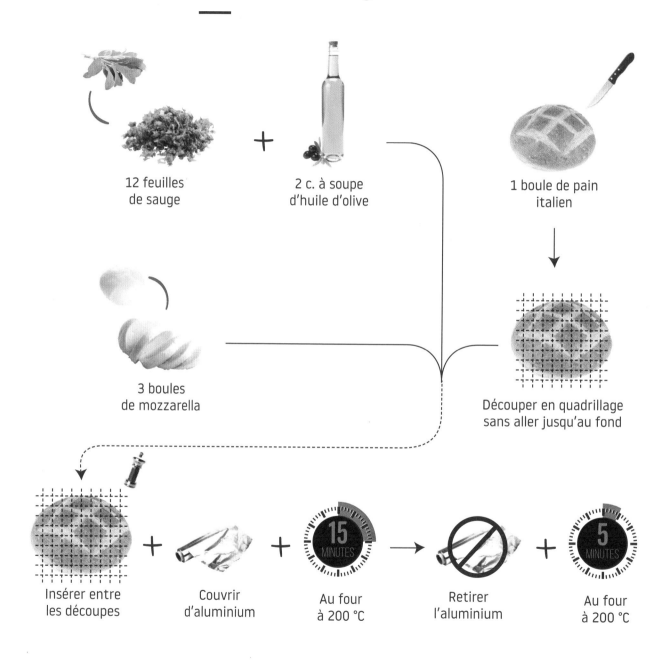

12 feuilles
de sauge

+

2 c. à soupe
d'huile d'olive

1 boule de pain
italien

3 boules
de mozzarella

Découper en quadrillage
sans aller jusqu'au fond

Insérer entre
les découpes

+

Couvrir
d'aluminium

+

15 MINUTES
Au four
à 200 °C

Retirer
l'aluminium

+

5 MINUTES
Au four
à 200 °C

APÉRO

04 TARTINES
comme une panzanella
—

3 tomates

+

1 oignon nouveau

→

+

2 c. à soupe
d'huile d'olive

+

1 c. à café
de vinaigre

+

4 brins
de basilic

+

→

5 MINUTES

Au réfrigérateur

2 tranches
de pain

+

1 gousse d'ail

→

Frotter

+

1 filet
d'huile d'olive

2 MINUTES

À feu moyen

+

1 mozzarella

05 CROQUETTES DE POULET
au curry
—

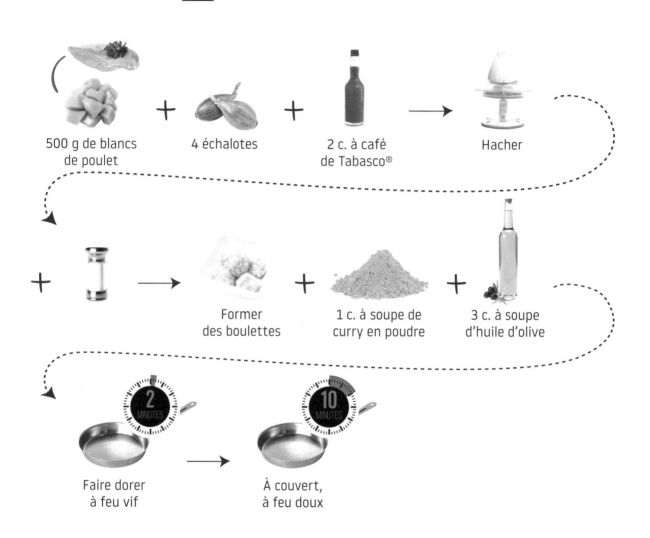

500 g de blancs
de poulet

4 échalotes

2 c. à café
de Tabasco®

Hacher

Former
des boulettes

1 c. à soupe de
curry en poudre

3 c. à soupe
d'huile d'olive

2 MINUTES

10 MINUTES

Faire dorer
à feu vif

À couvert,
à feu doux

06 ROULÉS D'ASPERGES
au jambon
—

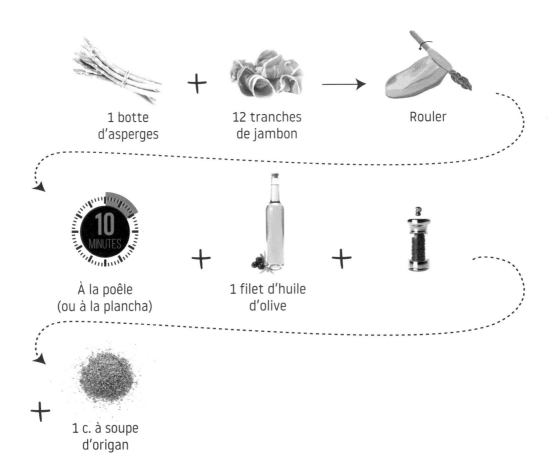

1 botte
d'asperges

+

12 tranches
de jambon

Rouler

À la poêle
(ou à la plancha)

+

1 filet d'huile
d'olive

+

+

1 c. à soupe
d'origan

07 SALADE
de melon

—

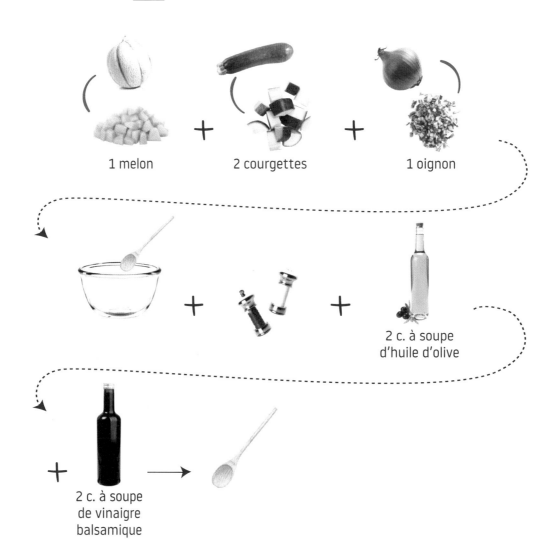

1 melon + 2 courgettes + 1 oignon

2 c. à soupe
d'huile d'olive

+ 2 c. à soupe
de vinaigre
balsamique →

08 TABOULÉ
de maïs

—

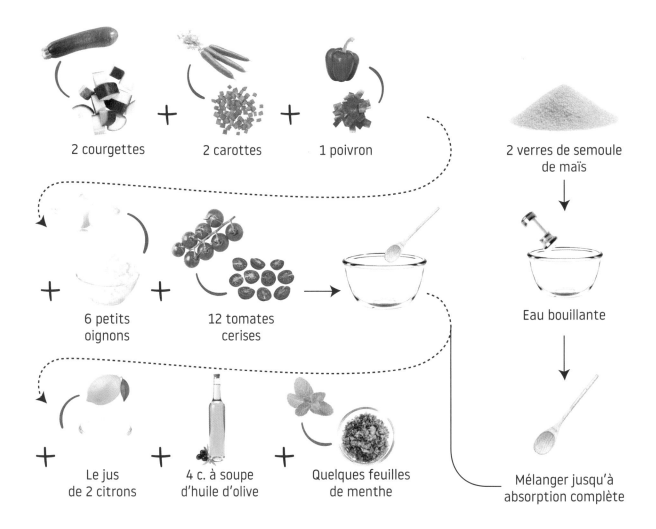

2 courgettes + 2 carottes + 1 poivron

2 verres de semoule de maïs

+ 6 petits oignons + 12 tomates cerises →

Eau bouillante

+ Le jus de 2 citrons + 4 c. à soupe d'huile d'olive + Quelques feuilles de menthe

Mélanger jusqu'à absorption complète

09 SALADE D'AVOCAT
et agrumes

—

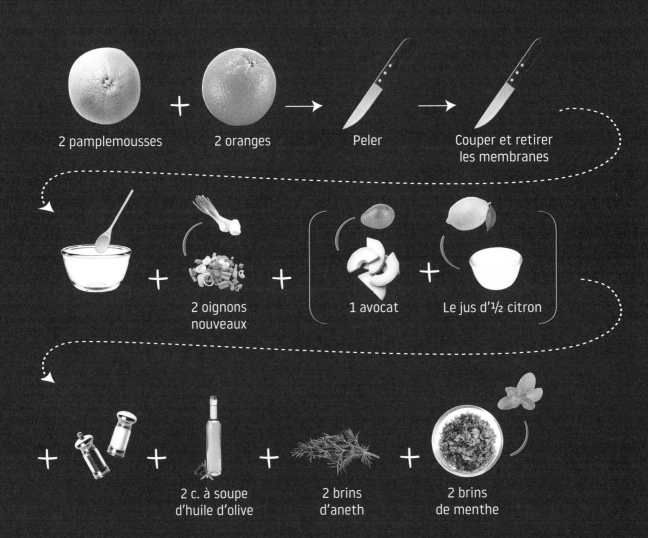

2 pamplemousses + 2 oranges → Peler → Couper et retirer les membranes

+ 2 oignons nouveaux + [1 avocat + Le jus d'½ citron]

+ 2 c. à soupe d'huile d'olive + 2 brins d'aneth + 2 brins de menthe

10 SALADE DE BROCOLIS
au wasabi

—

2 têtes de brocoli

Eau bouillante,
à feu vif

5
MINUTES

Eau glacée

2 c. à soupe
de mayonnaise

1 c. à soupe
d'eau

1 c. à café
de pâte de wasabi

4 c. à soupe de petits
pois au wasabi

POUR 8 PERSONNES
PRÉPARATION : 25 MINUTES
CUISSON : 20 MINUTES

11 SOUPE DE PETITS POIS
au lait d'amande
—

500 g
de petits pois

Eau bouillante,
à feu vif

12 MINUTES

½ bouquet
de menthe

40 cl de lait
d'amande

Mixer

Glaçons

Mixer

12 POTAGE DE CAROTTE
et gingembre

—

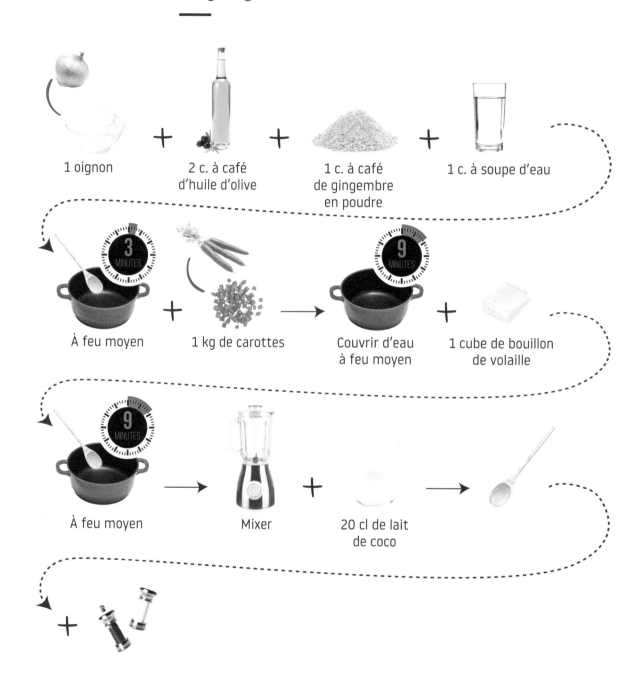

1 oignon + 2 c. à café d'huile d'olive + 1 c. à café de gingembre en poudre + 1 c. à soupe d'eau

À feu moyen + 1 kg de carottes → Couvrir d'eau à feu moyen + 1 cube de bouillon de volaille

À feu moyen → Mixer + 20 cl de lait de coco →

+

13 SOUPE DE FANES
de radis

—

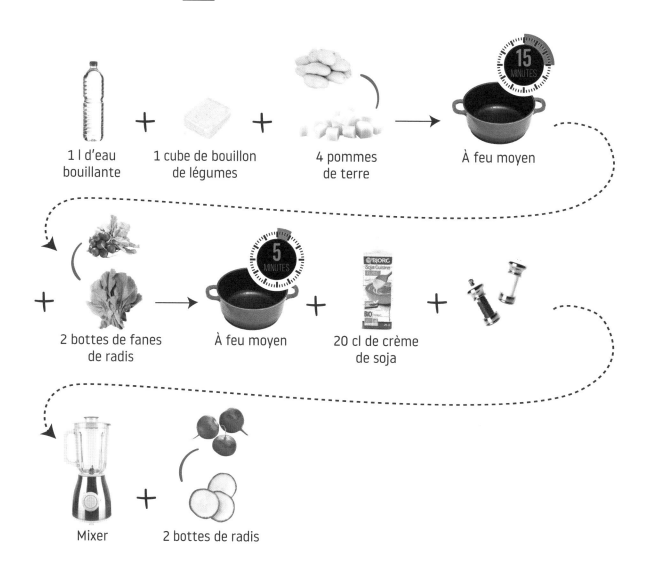

1 l d'eau
bouillante

1 cube de bouillon
de légumes

4 pommes
de terre

À feu moyen

15 MINUTES

2 bottes de fanes
de radis

À feu moyen

5 MINUTES

20 cl de crème
de soja

Mixer

2 bottes de radis

POUR 4 PERSONNES
PRÉPARATION : 10 MINUTES
CUISSON : 20 MINUTES

14 SOUPE MISO
aux légumes et au tofu

—

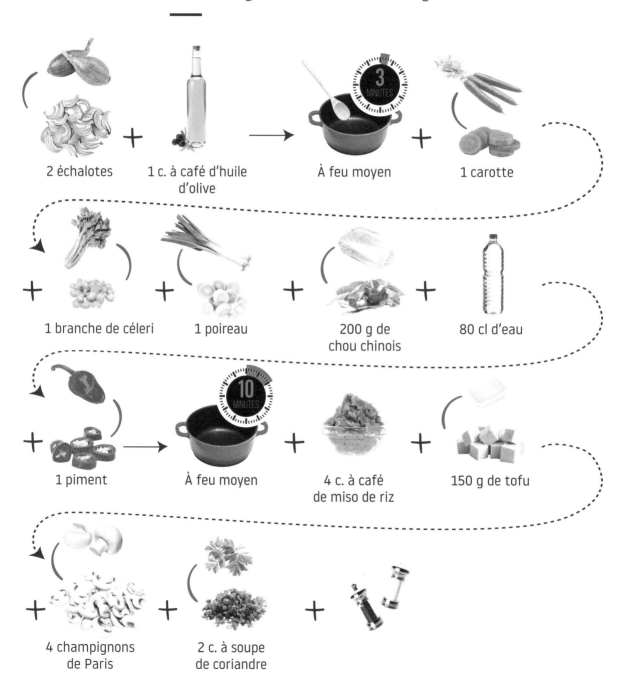

2 échalotes + 1 c. à café d'huile d'olive → À feu moyen (3 MINUTES) + 1 carotte

+ 1 branche de céleri + 1 poireau + 200 g de chou chinois + 80 cl d'eau

+ 1 piment → À feu moyen (10 MINUTES) + 4 c. à café de miso de riz + 150 g de tofu

+ 4 champignons de Paris + 2 c. à soupe de coriandre +

POUR 4 PERSONNES

PRÉPARATION : 15 MINUTES

CUISSON : 13 MINUTES

15 OMELETTE AU LARD
et au kale

—

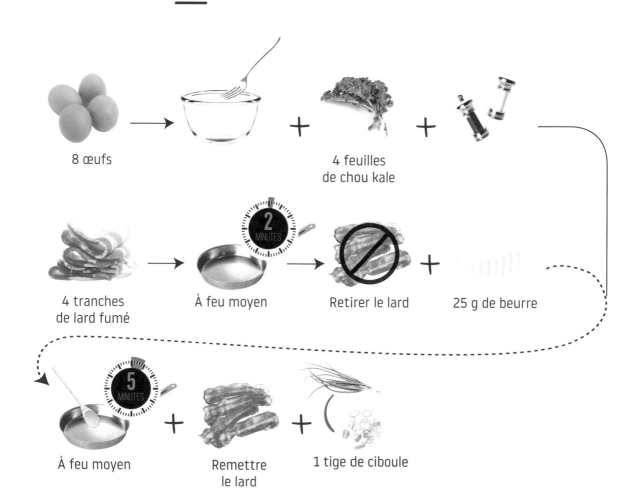

8 œufs

4 feuilles
de chou kale

4 tranches
de lard fumé

2 MINUTES

À feu moyen

Retirer le lard

25 g de beurre

5 MINUTES

À feu moyen

Remettre
le lard

1 tige de ciboule

POUR 4 PERSONNES
PRÉPARATION : 10 MINUTES
CUISSON : 7 MINUTES

16 ONE POT DE CROZETS,
lardons et champignons

—

350 g de crozets
au sarrasin

200 g de lardons

1 poireau

200 g de champignons
de Paris

1 cube de bouillon
de légumes

1 c. à soupe de
crème fraîche

80 cl d'eau

À feu moyen

20 MINUTES

ciboulette

17 FILET MIGNON
au lait de coco

—

1 gousse d'ail + 2 échalotes + 2 c. à soupe d'huile d'olive + 600 g de filet mignon

À feu moyen + 20 cl de bouillon de légumes → À couvert, à feu doux + 10 cl de lait de coco

+ 1 c. à café de curry → À feu doux

18 CASSOULET
express

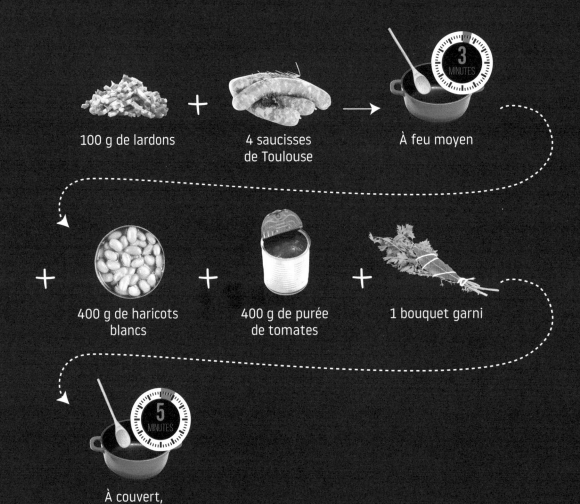

100 g de lardons

+

4 saucisses
de Toulouse

→

3 MINUTES

À feu moyen

+

400 g de haricots
blancs

+

400 g de purée
de tomates

+

1 bouquet garni

5 MINUTES

À couvert,
à feu moyen

19 MÉDAILLONS DE PORC
au cidre
—

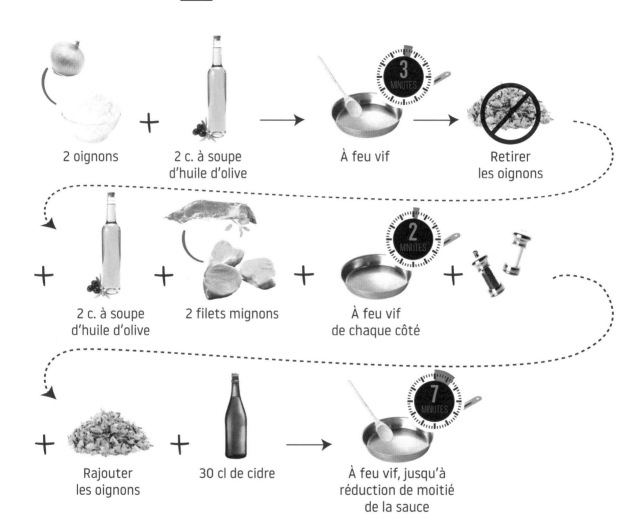

2 oignons + 2 c. à soupe d'huile d'olive → À feu vif 3 MINUTES → Retirer les oignons

+ 2 c. à soupe d'huile d'olive + 2 filets mignons + À feu vif de chaque côté 2 MINUTES +

+ Rajouter les oignons + 30 cl de cidre → À feu vif, jusqu'à réduction de moitié de la sauce 7 MINUTES

POUR 4 PERSONNES
PRÉPARATION : 15 MINUTES
CUISSON : 14 MINUTES

20 TROFIE À LA TOMATE
et aux saucisses
—

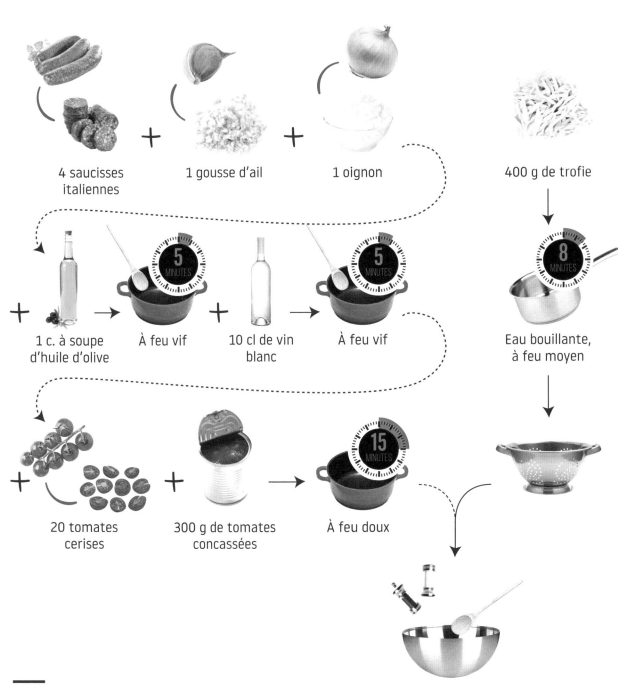

4 saucisses
italiennes

+

1 gousse d'ail

+

1 oignon

400 g de trofie

+

1 c. à soupe
d'huile d'olive

→ **5** MINUTES À feu vif

+

10 cl de vin
blanc

→ **5** MINUTES À feu vif

8 MINUTES Eau bouillante,
à feu moyen

+

20 tomates
cerises

+

300 g de tomates
concassées

→ **15** MINUTES À feu doux

21 BOULETTES DE BŒUF
à la coriandre

—

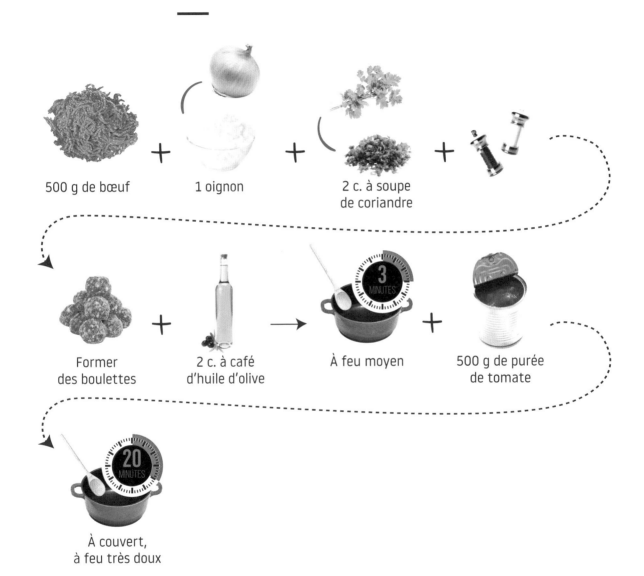

500 g de bœuf   +   1 oignon   +   2 c. à soupe de coriandre   +

Former des boulettes   +   2 c. à café d'huile d'olive   →   À feu moyen **3 MINUTES**   +   500 g de purée de tomate

À couvert, à feu très doux **20 MINUTES**

22 CHILI
con carne
—

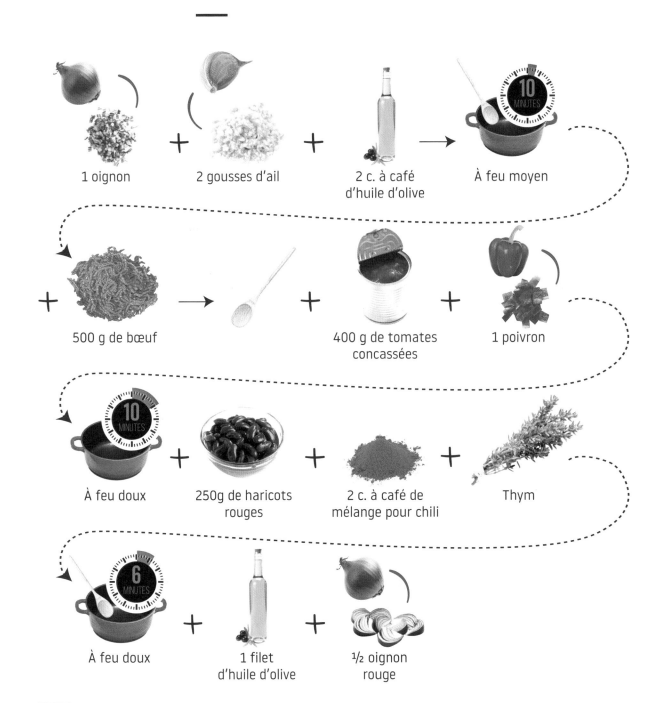

1 oignon

2 gousses d'ail

2 c. à café
d'huile d'olive

À feu moyen

500 g de bœuf

400 g de tomates
concassées

1 poivron

À feu doux

250g de haricots
rouges

2 c. à café de
mélange pour chili

Thym

À feu doux

1 filet
d'huile d'olive

½ oignon
rouge

POUR 4 PERSONNES
PRÉPARATION : 5 MINUTES
CUISSON : 26 MINUTES

23 COURGETTES *farcies*

—

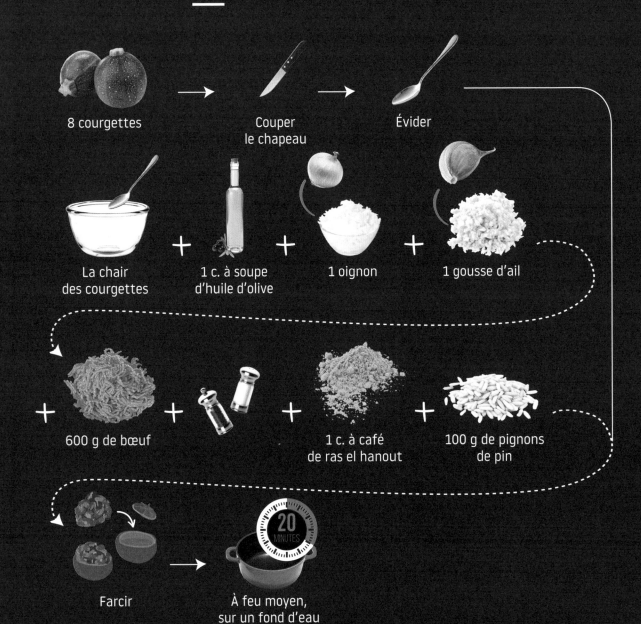

8 courgettes → Couper le chapeau → Évider

La chair des courgettes + 1 c. à soupe d'huile d'olive + 1 oignon + 1 gousse d'ail

+ 600 g de bœuf + 1 c. à café de ras el hanout + 100 g de pignons de pin

Farcir → À feu moyen, sur un fond d'eau

20 MINUTES

24 WOK DE BŒUF
au brocoli et aux carottes

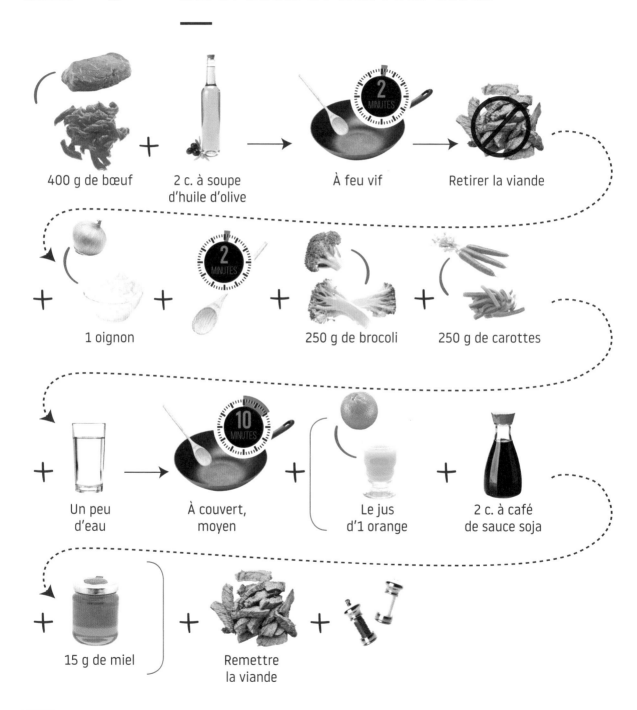

400 g de bœuf

2 c. à soupe d'huile d'olive

À feu vif

Retirer la viande

1 oignon

250 g de brocoli

250 g de carottes

Un peu d'eau

À couvert, moyen

Le jus d'1 orange

2 c. à café de sauce soja

15 g de miel

Remettre la viande

POUR 4 PERSONNES
PRÉPARATION : 15 MINUTES
CUISSON : 12 MINUTES

25 BROCHETTES DE BŒUF
et figues rôties

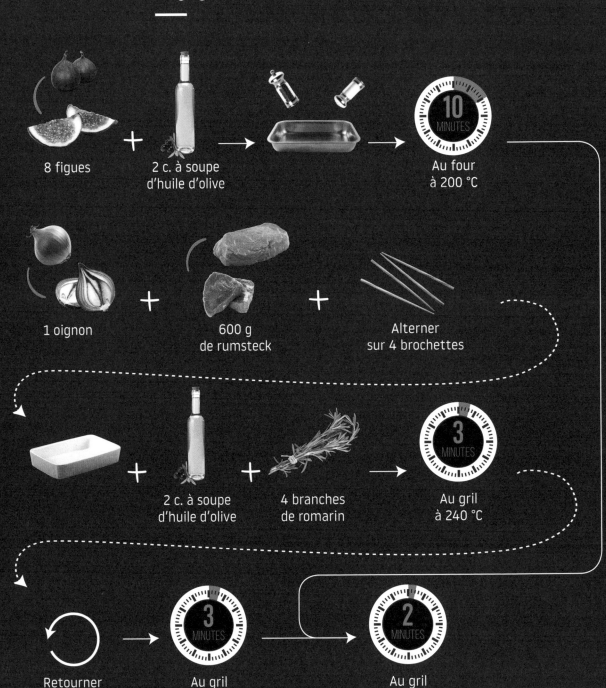

8 figues

+

2 c. à soupe
d'huile d'olive

→

10
MINUTES

Au four
à 200 °C

1 oignon

+

600 g
de rumsteck

+

Alterner
sur 4 brochettes

+

2 c. à soupe
d'huile d'olive

+

4 branches
de romarin

→

3
MINUTES

Au gril
à 240 °C

Retourner

→

3
MINUTES

Au gril
à 240 °C

→

2
MINUTES

Au gril
à 240 °C

26 INVOLTINI DE VEAU,
mozza et sauge, pois gourmands
—

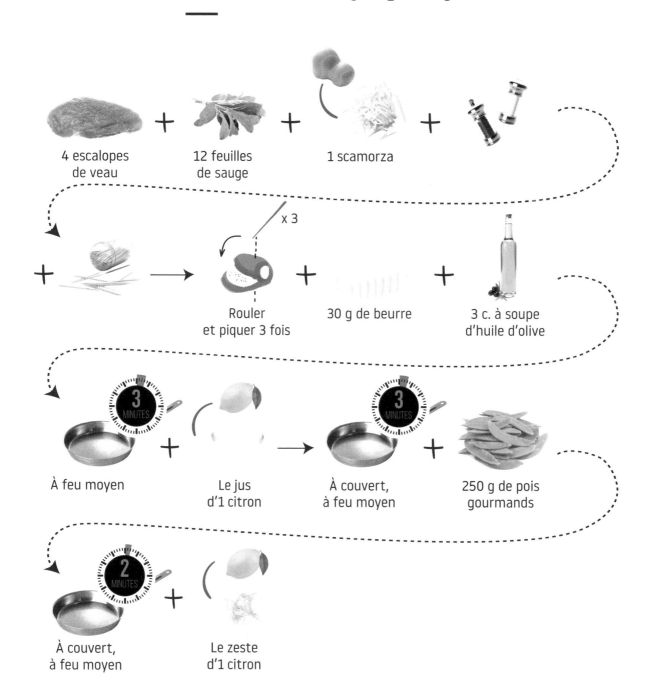

4 escalopes
de veau

12 feuilles
de sauge

1 scamorza

x 3

Rouler
et piquer 3 fois

30 g de beurre

3 c. à soupe
d'huile d'olive

3 MINUTES

À feu moyen

Le jus
d'1 citron

3 MINUTES

À couvert,
à feu moyen

250 g de pois
gourmands

2 MINUTES

À couvert,
à feu moyen

Le zeste
d'1 citron

27 BOULETTES DE VEAU
et salade de mâche aux oignons

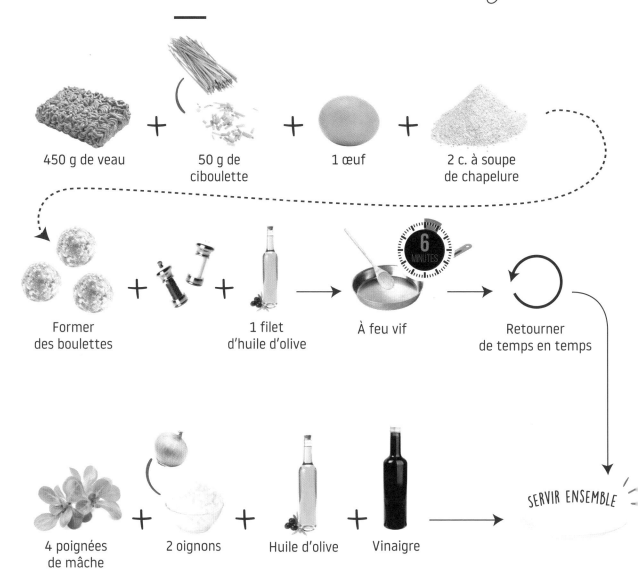

450 g de veau + 50 g de ciboulette + 1 œuf + 2 c. à soupe de chapelure

Former des boulettes + 1 filet d'huile d'olive → À feu vif → Retourner de temps en temps

6 MINUTES

4 poignées de mâche + 2 oignons + Huile d'olive + Vinaigre →

SERVIR ENSEMBLE

28 SAUTÉ DE DINDE
à la moutarde
—

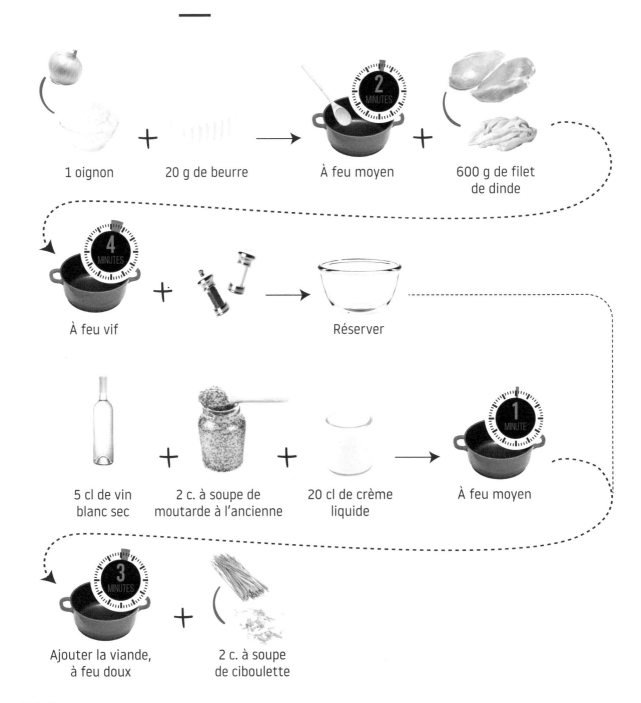

1 oignon + 20 g de beurre → À feu moyen (2 MINUTES) + 600 g de filet de dinde

À feu vif (4 MINUTES) + [poivre] → Réserver

5 cl de vin blanc sec + 2 c. à soupe de moutarde à l'ancienne + 20 cl de crème liquide → À feu moyen (1 MINUTE)

Ajouter la viande, à feu doux (3 MINUTES) + 2 c. à soupe de ciboulette

29 NUGGETS DE POULET
aux corn flakes

—

4 escalopes
de poulet

+

1 c. à soupe
de moutarde

+

1 c. à soupe
de thym

+

2 œufs
battus

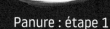

Panure : étape 1

40 g de
corn flakes

+

Sac congélation

Écraser

Panure : étape 2

+

2 c. à soupe
d'huile de tournesol

À feu moyen

Retourner

À feu moyen

+

Le jus d'1 citron

30 AIGUILLETTES DE DINDE
aux poireaux
—

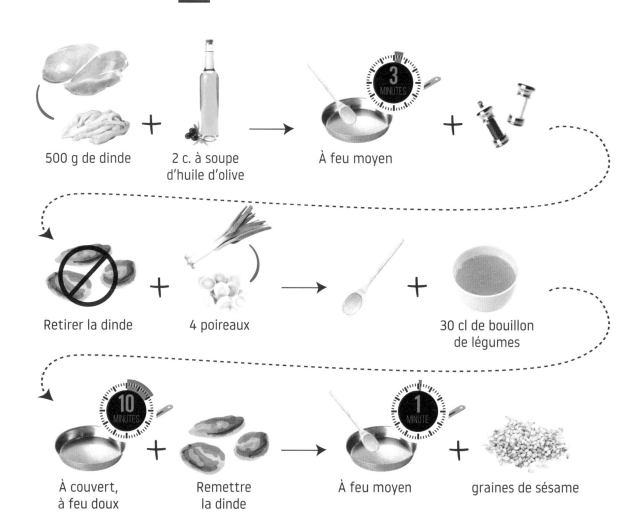

500 g de dinde

2 c. à soupe
d'huile d'olive

À feu moyen

Retirer la dinde

4 poireaux

30 cl de bouillon
de légumes

À couvert,
à feu doux

Remettre
la dinde

À feu moyen

graines de sésame

31 ONE POT DE POULET
à la thaïe et riz sauvage

—

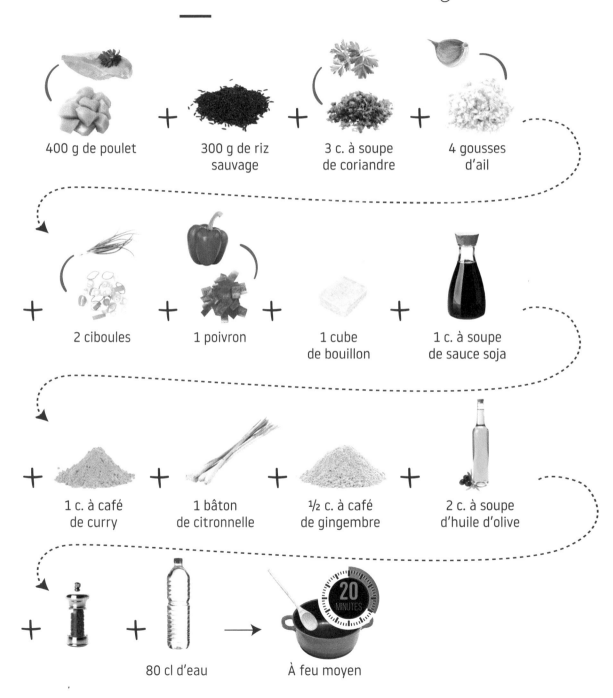

400 g de poulet + 300 g de riz sauvage + 3 c. à soupe de coriandre + 4 gousses d'ail

+ 2 ciboules + 1 poivron + 1 cube de bouillon + 1 c. à soupe de sauce soja

+ 1 c. à café de curry + 1 bâton de citronnelle + ½ c. à café de gingembre + 2 c. à soupe d'huile d'olive

+ + 80 cl d'eau → À feu moyen

20 MINUTES

POUR 4 PERSONNES

PRÉPARATION : 10 MINUTES

CUISSON : 20 MINUTES

32 AIGUILLETTES DE POULET
haricots verts et amandes

—

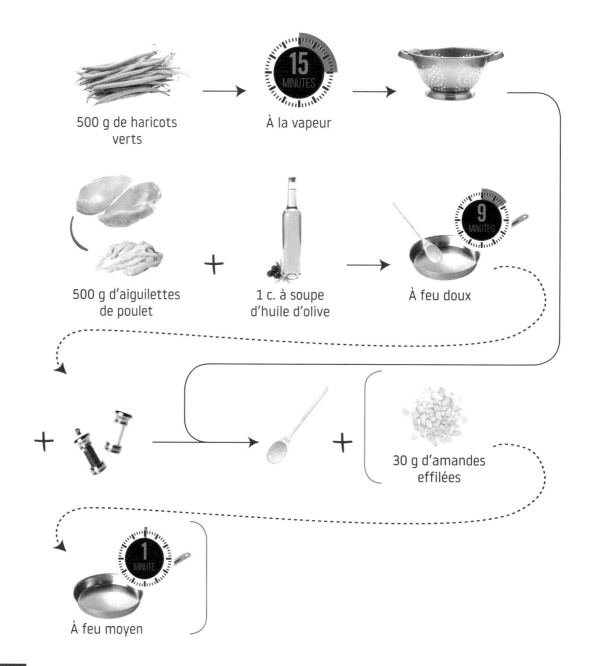

500 g de haricots
verts

À la vapeur

15 MINUTES

500 g d'aiguillettes
de poulet

+

1 c. à soupe
d'huile d'olive

À feu doux

9 MINUTES

+

+

30 g d'amandes
effilées

1 MINUTE

À feu moyen

33 CANARD CONFIT
en feuilles de brick

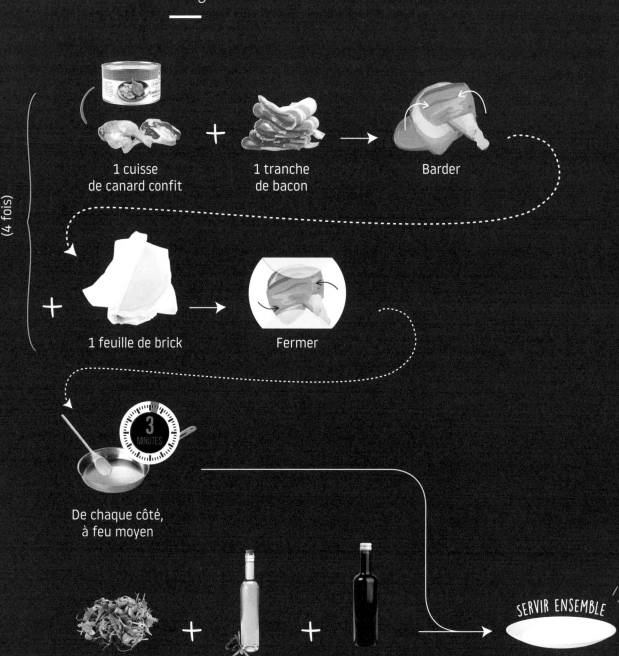

(4 fois)

1 cuisse
de canard confit

+

1 tranche
de bacon

→ Barder

+

1 feuille de brick → Fermer

3 MINUTES

De chaque côté,
à feu moyen

1 poignée
de mesclun

+

2 c. à soupe
d'huile d'olive

+

1 c. à café
de vinaigre

→ SERVIR ENSEMBLE

POUR 4 PERSONNES
PRÉPARATION : 10 MINUTES
CUISSON : 15 MINUTES

34 AIGUILLETTES DE CANARD
aux figues et aux échalotes

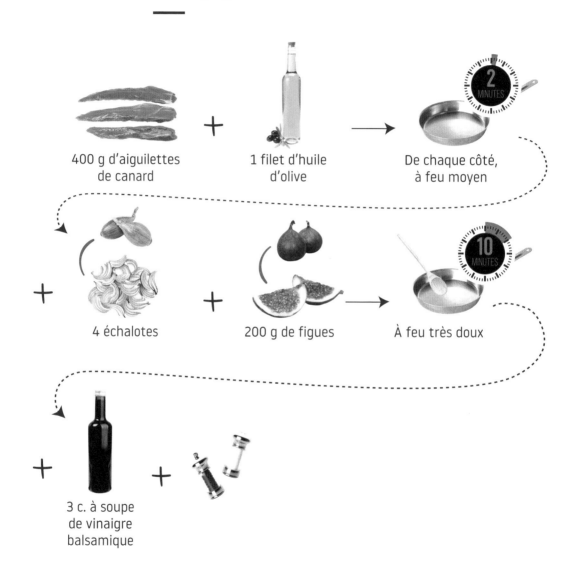

400 g d'aiguilettes de canard

1 filet d'huile d'olive

De chaque côté, à feu moyen

2 MINUTES

4 échalotes

200 g de figues

À feu très doux

10 MINUTES

3 c. à soupe de vinaigre balsamique

35 SALADE DE CRABE
et vinaigrette citron-miel

—

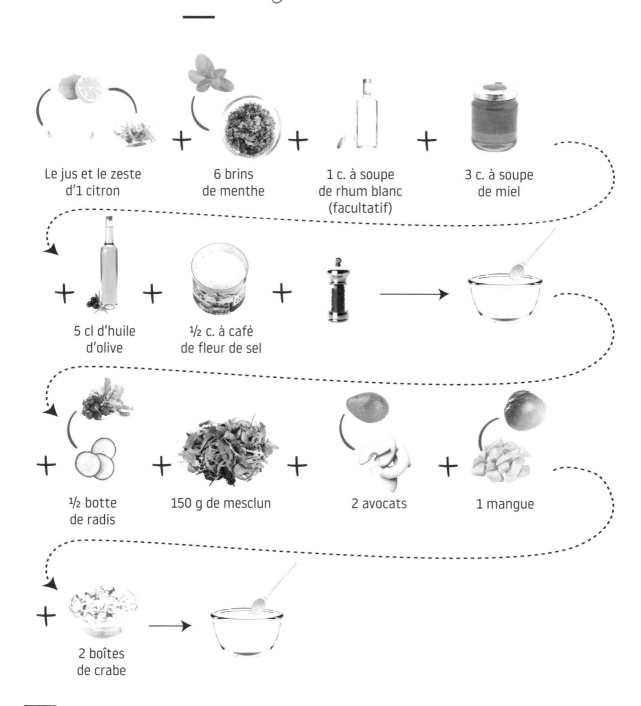

Le jus et le zeste
d'1 citron

6 brins
de menthe

1 c. à soupe
de rhum blanc
(facultatif)

3 c. à soupe
de miel

5 cl d'huile
d'olive

½ c. à café
de fleur de sel

½ botte
de radis

150 g de mesclun

2 avocats

1 mangue

2 boîtes
de crabe

36 CABILLAUD ET POÊLÉE
d'edamame au sésame

—

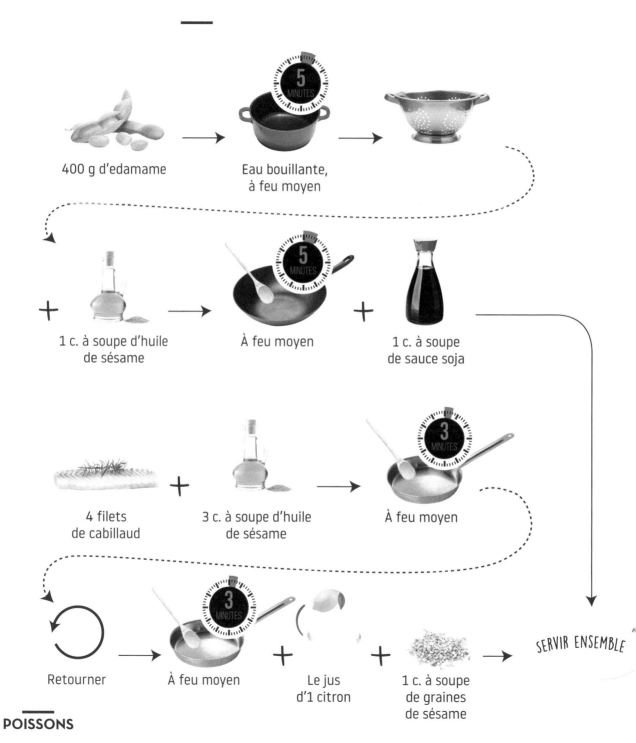

5 MINUTES

400 g d'edamame

Eau bouillante,
à feu moyen

+

1 c. à soupe d'huile
de sésame

5 MINUTES

À feu moyen

+

1 c. à soupe
de sauce soja

4 filets
de cabillaud

+

3 c. à soupe d'huile
de sésame

3 MINUTES

À feu moyen

Retourner

3 MINUTES

À feu moyen

+

Le jus
d'1 citron

+

1 c. à soupe
de graines
de sésame

SERVIR ENSEMBLE

37 PAPILLOTES DE COLIN
et légumes à la moutarde

—

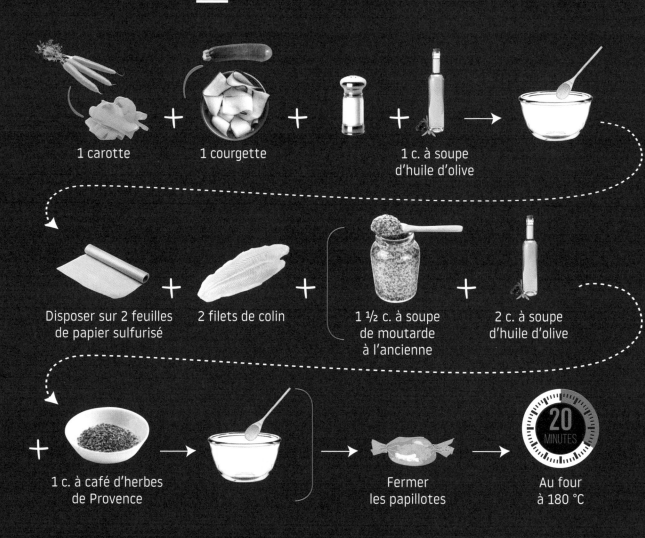

1 carotte + 1 courgette + [poivre/sel] + 1 c. à soupe d'huile d'olive →

Disposer sur 2 feuilles de papier sulfurisé + 2 filets de colin + 1 ½ c. à soupe de moutarde à l'ancienne + 2 c. à soupe d'huile d'olive

+ 1 c. à café d'herbes de Provence → Fermer les papillotes → **20 MINUTES** Au four à 180 °C

38 MERLAN PANÉ
et sauce tartare légère

—

 2 cornichons

\+

 2 c. à café
de câpres

\+

 1 c. à soupe
de persil

\+

 1 c. à soupe
d'estragon

 12 brins
de ciboulette

\+

 200 g de yaourt
grec

\+

 3 c. à soupe
de mayonnaise

→

 4 filets
de merlan

→

 Enrober de 8 c. à
soupe de farine

→

 Enrober d'1 œuf
battu

→

 Enrober de 12 c.
à soupe de chapelure

2 MINUTES

Sur chaque face,
à feu moyen

SERVIR ENSEMBLE

39 DOS DE MERLU
aux carottes et au citron

—

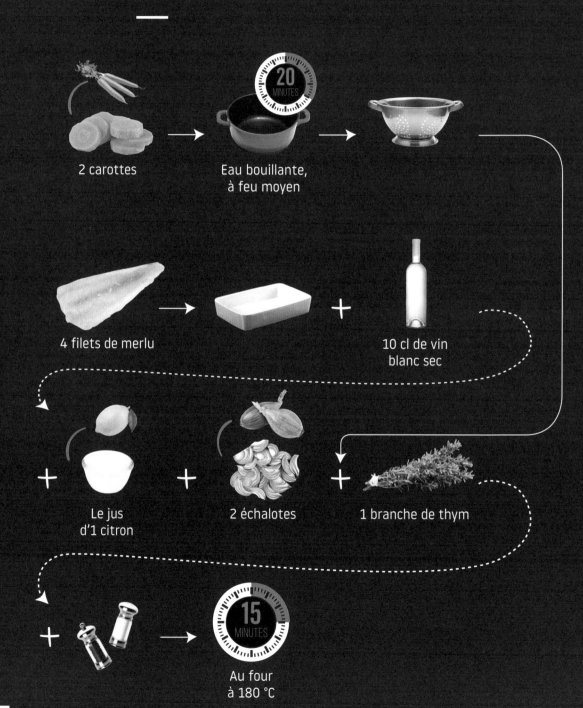

2 carottes

Eau bouillante,
à feu moyen

20 MINUTES

4 filets de merlu

10 cl de vin
blanc sec

+ Le jus
d'1 citron

+ 2 échalotes

+ 1 branche de thym

+ **15** MINUTES

Au four
à 180 °C

40 FILETS DE DAURADE
gratinés à la sicilienne

—

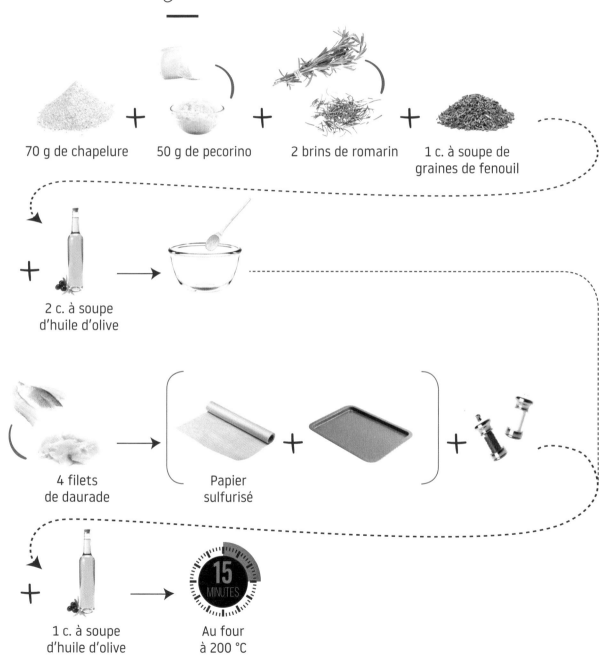

70 g de chapelure + 50 g de pecorino + 2 brins de romarin + 1 c. à soupe de graines de fenouil

+ 2 c. à soupe d'huile d'olive →

4 filets de daurade → [Papier sulfurisé +] +

+ 1 c. à soupe d'huile d'olive → **15 MINUTES** Au four à 200 °C

POUR 4 PERSONNES
PRÉPARATION : 10 MINUTES
CUISSON : 15 MINUTES

41 SALADE TIÈDE
de pommes de terre au saumon

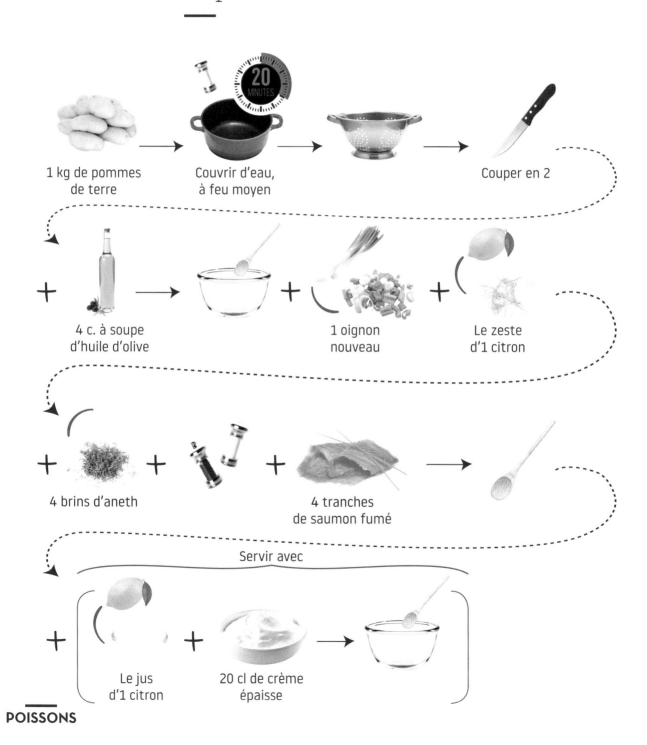

1 kg de pommes de terre

Couvrir d'eau, à feu moyen

20 MINUTES

Couper en 2

+ 4 c. à soupe d'huile d'olive

+ 1 oignon nouveau

+ Le zeste d'1 citron

+ 4 brins d'aneth

+ 4 tranches de saumon fumé

Servir avec

+ Le jus d'1 citron

+ 20 cl de crème épaisse

42 PAPILLOTES DE TRUITE
à la poêle
—

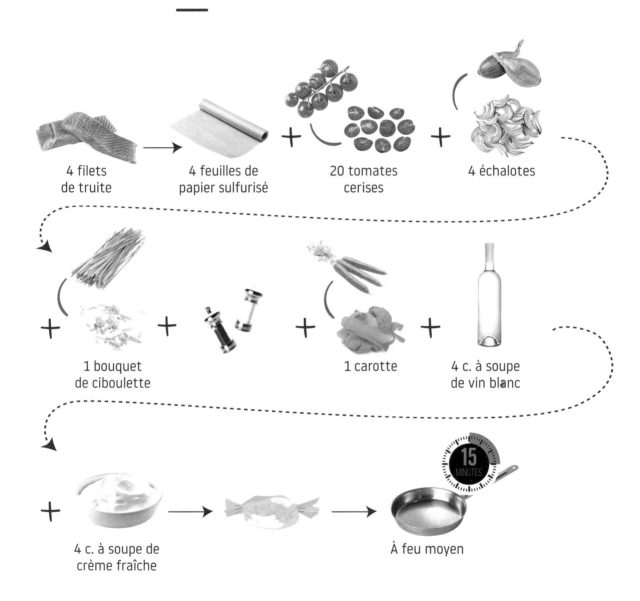

4 filets
de truite

4 feuilles de
papier sulfurisé

20 tomates
cerises

4 échalotes

1 bouquet
de ciboulette

1 carotte

4 c. à soupe
de vin blanc

4 c. à soupe de
crème fraîche

À feu moyen

15 MINUTES

43 POÊLÉE DE SAUMON
au céleri

—

1 céleri boule   +   1 c. à soupe de graines de coriandre   +   2 feuilles de laurier   +   1 filet d'huile d'olive

5 MINUTES

10 MINUTES

À feu moyen   +   500 g de saumon   +   1 citron   →   À couvert, à feu doux

+   + 1 branche de coriandre   +   2 branches de cives

44 PAD THAÏ
aux crevettes
—

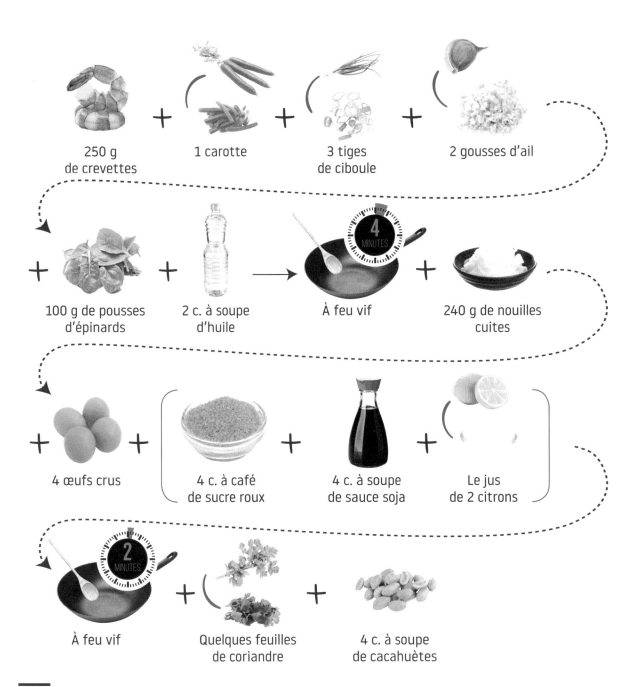

250 g
de crevettes

+

1 carotte

+

3 tiges
de ciboule

+

2 gousses d'ail

+

100 g de pousses
d'épinards

+

2 c. à soupe
d'huile

→

À feu vif

+

240 g de nouilles
cuites

+

4 œufs crus

+

4 c. à café
de sucre roux

+

4 c. à soupe
de sauce soja

+

Le jus
de 2 citrons

À feu vif

+

Quelques feuilles
de coriandre

+

4 c. à soupe
de cacahuètes

45 PAËLLA

—

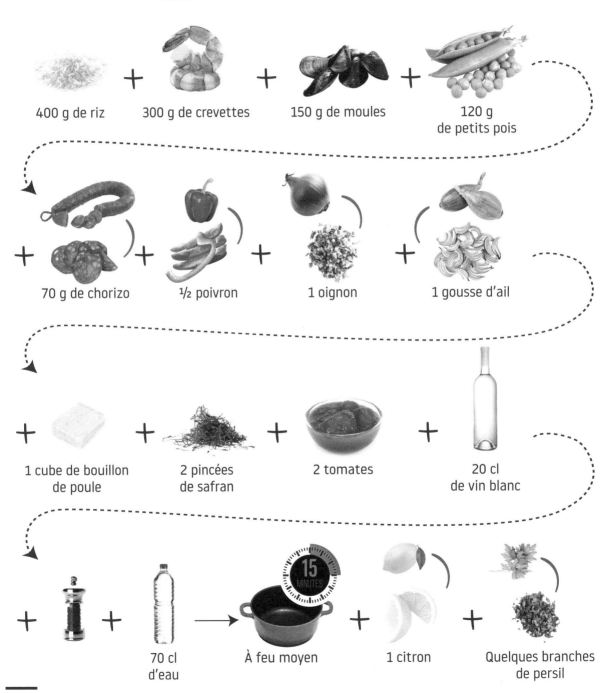

400 g de riz + 300 g de crevettes + 150 g de moules + 120 g de petits pois

+ 70 g de chorizo + ½ poivron + 1 oignon + 1 gousse d'ail

+ 1 cube de bouillon de poule + 2 pincées de safran + 2 tomates + 20 cl de vin blanc

+ + 70 cl d'eau → À feu moyen + 1 citron + Quelques branches de persil

15 MINUTES

46 OMELETTE
aux champignons de Paris

—

  +  →  +

800 g de champignons de Paris

40 g de beurre salé

À feu moyen

 →  + +

30 g de beurre salé

À feu moyen

8 œufs battus

 →

À feu moyen

1 botte de ciboulette

À feu moyen

POUR 4 PERSONNES

PRÉPARATION : 5 MINUTES

CUISSON : 27 MINUTES

47 SPAGHETTIS
à la carbonara végétarienne
—

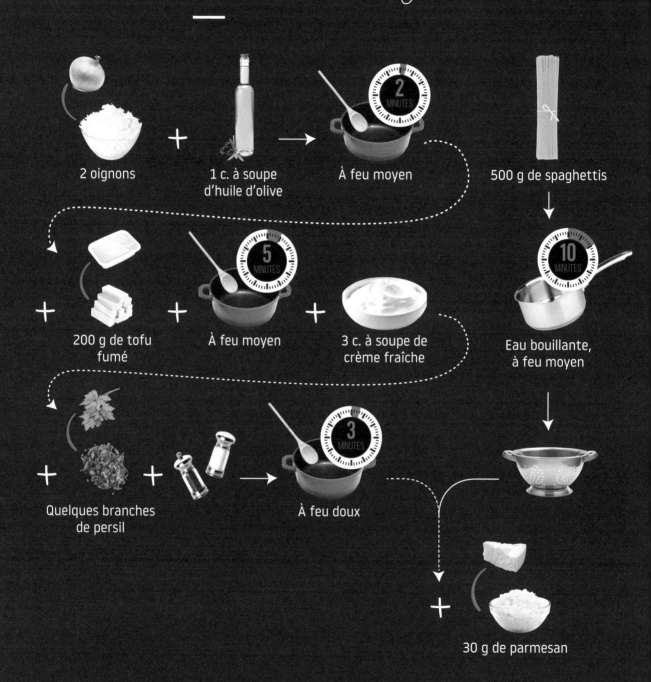

2 oignons

+

1 c. à soupe d'huile d'olive

À feu moyen · 2 MINUTES

500 g de spaghettis

+

200 g de tofu fumé

+

À feu moyen · 5 MINUTES

+

3 c. à soupe de crème fraîche

10 MINUTES · Eau bouillante, à feu moyen

+

Quelques branches de persil

+

À feu doux · 3 MINUTES

+

30 g de parmesan

48 ŒUFS À LA TOMATE
et à l'ail

—

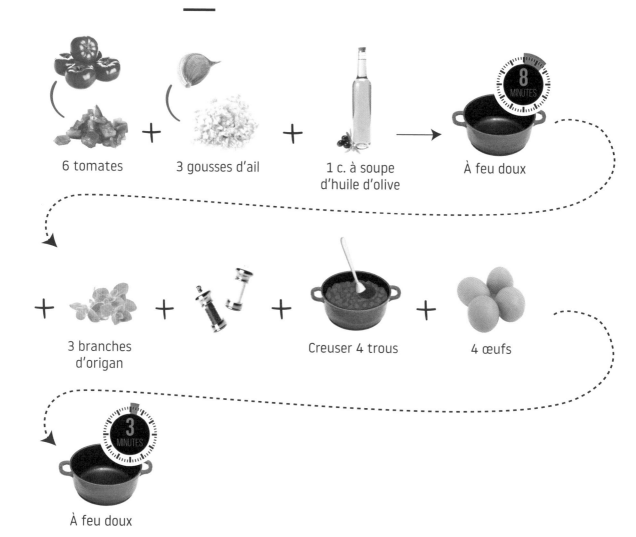

6 tomates + 3 gousses d'ail + 1 c. à soupe d'huile d'olive → À feu doux

+ 3 branches d'origan + + Creuser 4 trous + 4 œufs

À feu doux

POUR 4 PERSONNES

PRÉPARATION : 10 MINUTES

CUISSON : 11 MINUTES

49 SPAGHETTIS DE COURGETTES
crues et crème d'avocat à la menthe

—

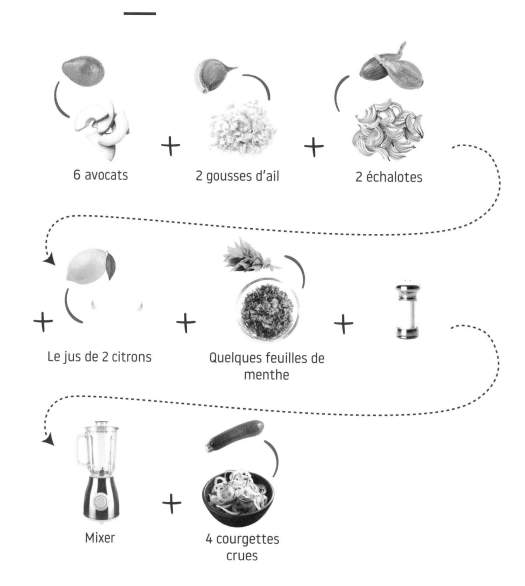

6 avocats + 2 gousses d'ail + 2 échalotes

+ Le jus de 2 citrons + Quelques feuilles de menthe +

Mixer + 4 courgettes crues

50 CONCHIGLIONI
aux artichauts

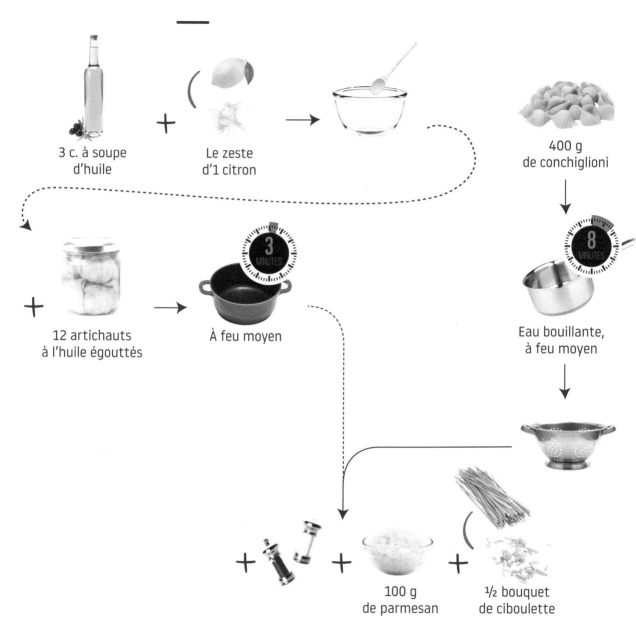

3 c. à soupe
d'huile

Le zeste
d'1 citron

400 g
de conchiglioni

12 artichauts
à l'huile égouttés

À feu moyen

3 MINUTES

8 MINUTES

Eau bouillante,
à feu moyen

100 g
de parmesan

½ bouquet
de ciboulette

51 PÂTES
aux brocolis

—

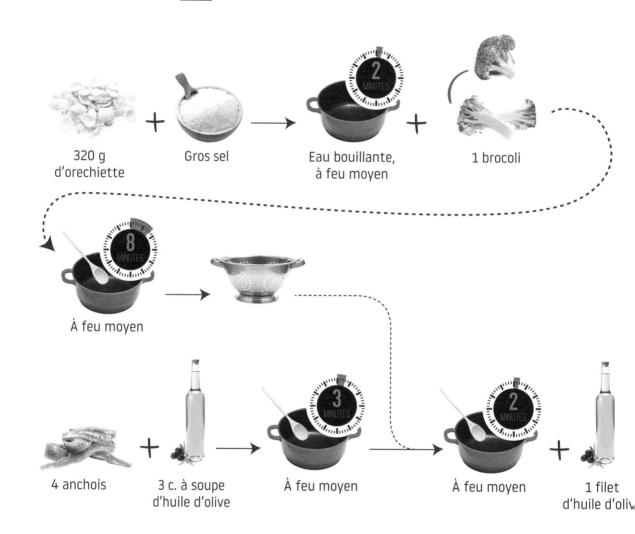

320 g
d'orechiette

Gros sel

Eau bouillante,
à feu moyen

1 brocoli

À feu moyen

4 anchois

3 c. à soupe
d'huile d'olive

À feu moyen

À feu moyen

1 filet
d'huile d'oliv

52 CONCHIGLIONIS FARCIS
aux épinards

—

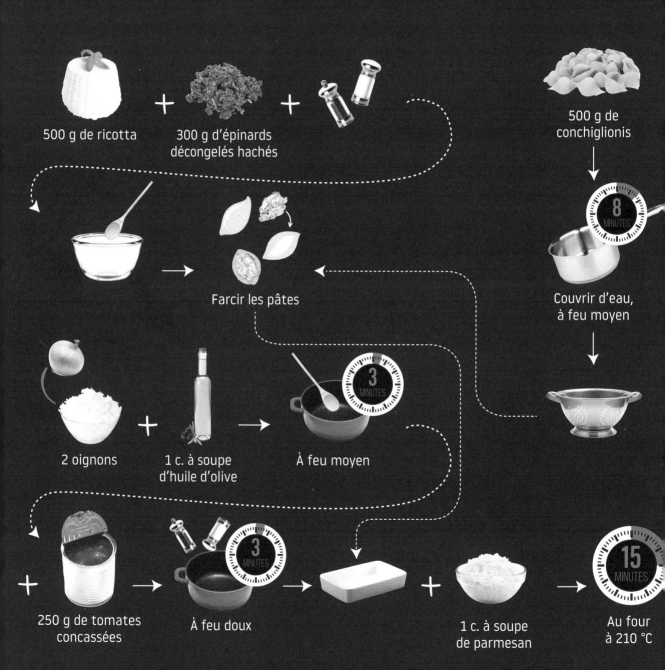

500 g de ricotta

300 g d'épinards décongelés hachés

500 g de conchiglionis

Farcir les pâtes

8 MINUTES

Couvrir d'eau, à feu moyen

2 oignons

1 c. à soupe d'huile d'olive

3 MINUTES

À feu moyen

3 MINUTES

250 g de tomates concassées

À feu doux

1 c. à soupe de parmesan

15 MINUTES

Au four à 210 °C

53

SAUTÉ
de haricots plats
—

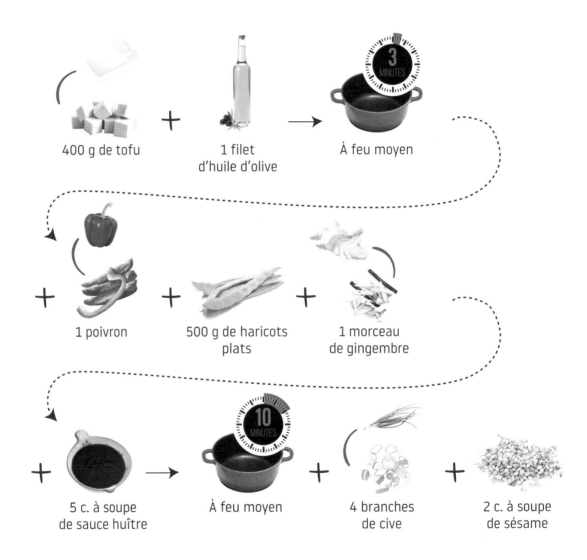

400 g de tofu

1 filet
d'huile d'olive

À feu moyen

1 poivron

500 g de haricots
plats

1 morceau
de gingembre

5 c. à soupe
de sauce huître

À feu moyen

4 branches
de cive

2 c. à soupe
de sésame

54 POÊLÉE DE TOFU FUMÉ
aux oignons et aux amandes

—

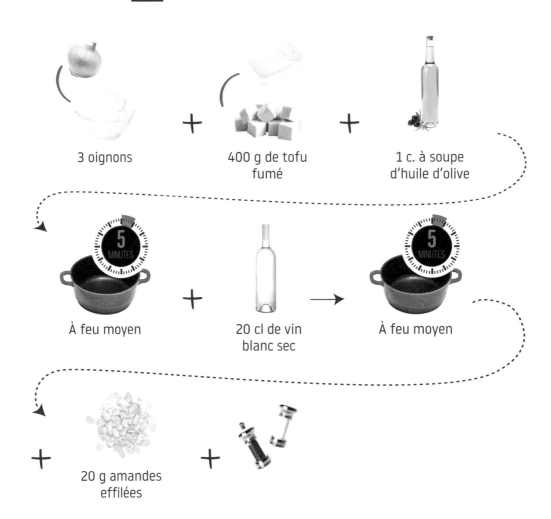

3 oignons

400 g de tofu fumé

1 c. à soupe d'huile d'olive

À feu moyen

20 cl de vin blanc sec

À feu moyen

20 g amandes effilées

POUR 4 PERSONNES
PRÉPARATION : 5 MINUTES
CUISSON : 10 MINUTES

55 GRATIN DE PANAIS
au curry et aux noisettes

—

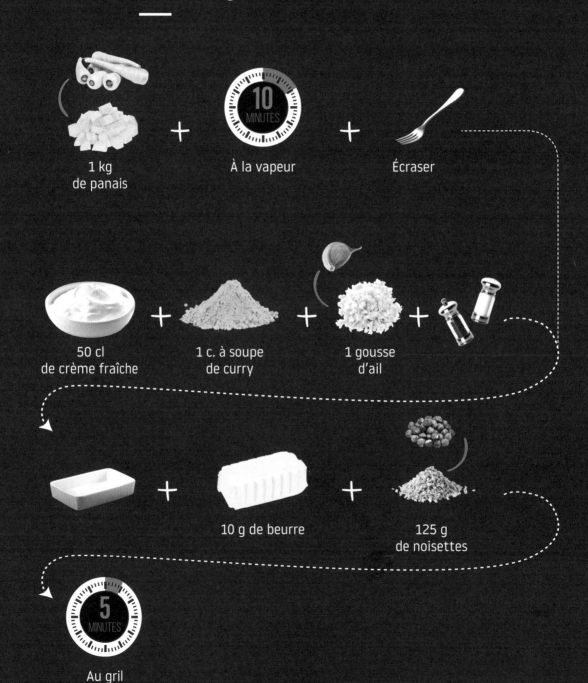

1 kg
de panais

+

À la vapeur

+

Écraser

50 cl
de crème fraîche

+

1 c. à soupe
de curry

+

1 gousse
d'ail

+

10 g de beurre

+

125 g
de noisettes

Au gril

56 GALETTES
de patates douces
—

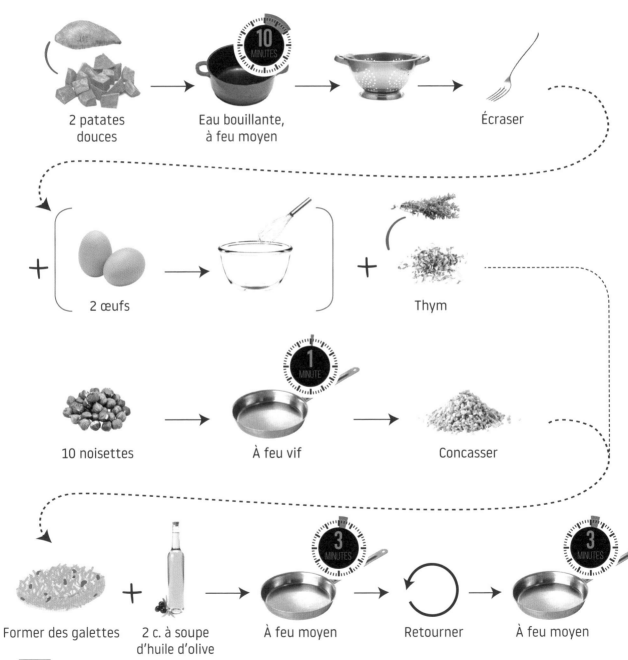

2 patates
douces

Eau bouillante,
à feu moyen

10 MINUTES

Écraser

+ 2 œufs

+ Thym

10 noisettes

À feu vif

1 MINUTE

Concasser

Former des galettes

+ 2 c. à soupe
d'huile d'olive

À feu moyen

3 MINUTES

Retourner

À feu moyen

3 MINUTES

57 FONDANT
au chocolat
—

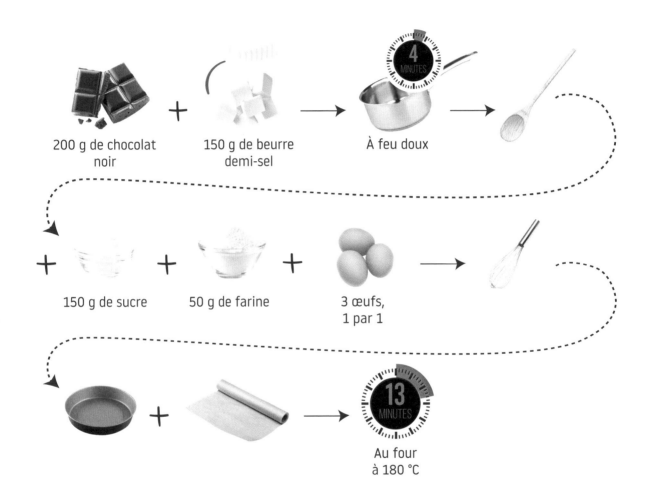

200 g de chocolat
noir

+

150 g de beurre
demi-sel

À feu doux

+ 150 g de sucre + 50 g de farine + 3 œufs,
1 par 1

Au four
à 180 °C

58 TARTE AUX FRAMBOISES
express
—

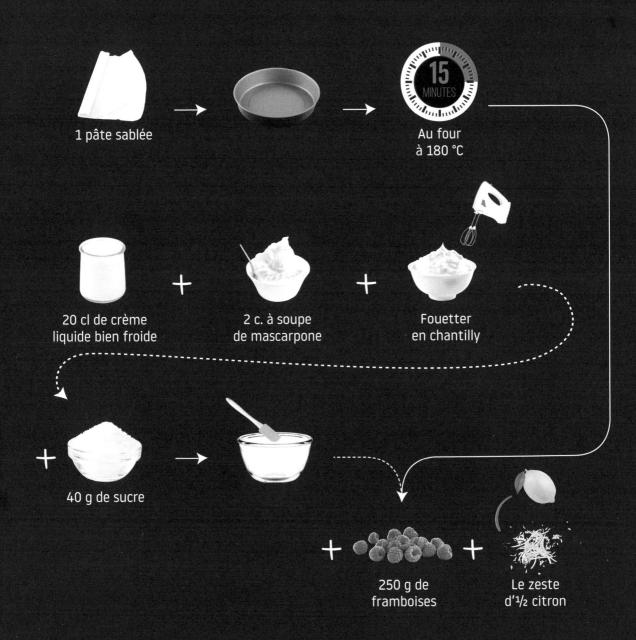

1 pâte sablée

Au four
à 180 °C

15 MINUTES

20 cl de crème
liquide bien froide

+

2 c. à soupe
de mascarpone

+

Fouetter
en chantilly

+

40 g de sucre

+

250 g de
framboises

+

Le zeste
d'½ citron

59 TARTE AUX POMMES
à la cannelle
—

1 pâte
feuilletée

2 c. à café
de sucre roux

1 c. à café
de vanille

2 c. à café
de cannelle

2 c. à café
de sucre

5 pommes

20 g de beurre
fondu

Badigeonner

20 MINUTES

Au four
à 180 °C

60 TARTE
choco-noisette
—

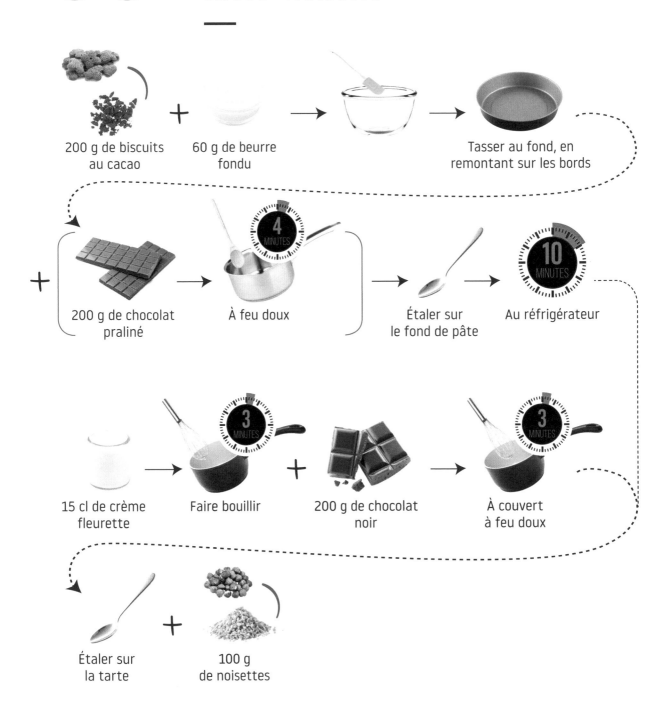

200 g de biscuits
au cacao

60 g de beurre
fondu

Tasser au fond, en
remontant sur les bords

200 g de chocolat
praliné

4 MINUTES

À feu doux

Étaler sur
le fond de pâte

10 MINUTES

Au réfrigérateur

15 cl de crème
fleurette

3 MINUTES

Faire bouillir

200 g de chocolat
noir

3 MINUTES

À couvert
à feu doux

Étaler sur
la tarte

100 g
de noisettes

61 SOUFFLÉS À LA RICOTTA
et au citron vert
—

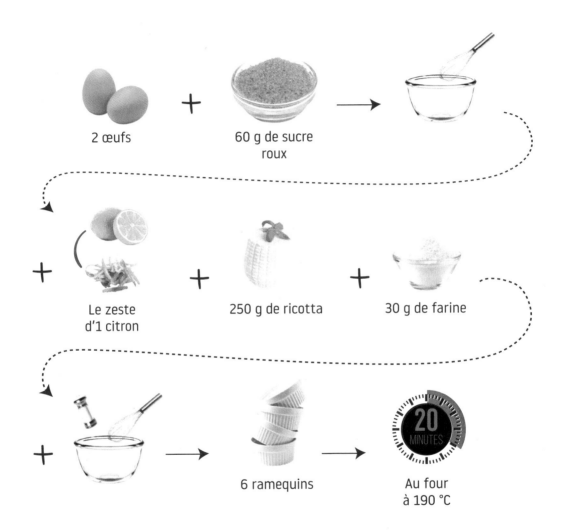

2 œufs

60 g de sucre roux

Le zeste d'1 citron

250 g de ricotta

30 g de farine

6 ramequins

20 MINUTES

Au four à 190 °C

62 FRUITS RÔTIS
rhumés

—

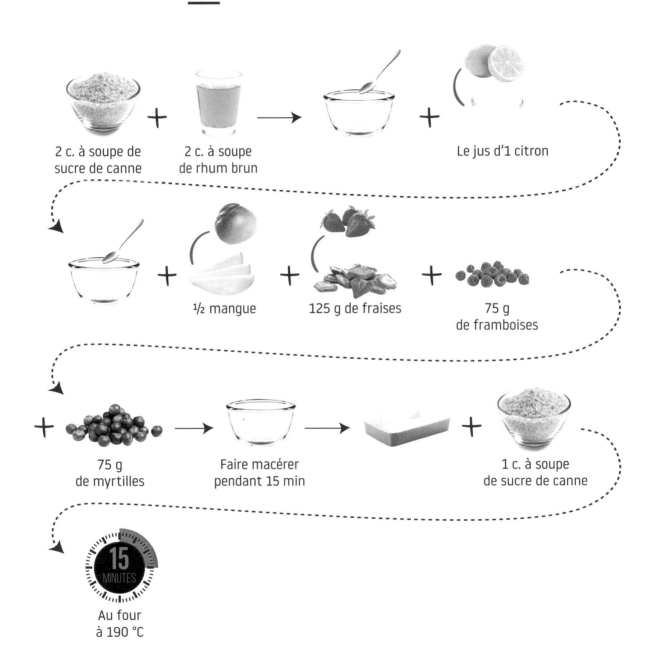

2 c. à soupe de
sucre de canne

2 c. à soupe
de rhum brun

Le jus d'1 citron

½ mangue

125 g de fraises

75 g
de framboises

75 g
de myrtilles

Faire macérer
pendant 15 min

1 c. à soupe
de sucre de canne

15 MINUTES

Au four
à 190 °C

63 GRATIN DE FRAMBOISES
à la crème d'amande

—

80 g de beurre + 125 g d'amandes en poudre + 100 g de sucre + 1 c. à soupe de farine

+ 1 c. à soupe de crème liquide + 1 œuf + 1 jaune d'œuf

 → → →

400 g de framboises → Au four à 200 °C → Au gril

15 MINUTES   5 MINUTES

64 PANCAKES
au lait d'amande

—

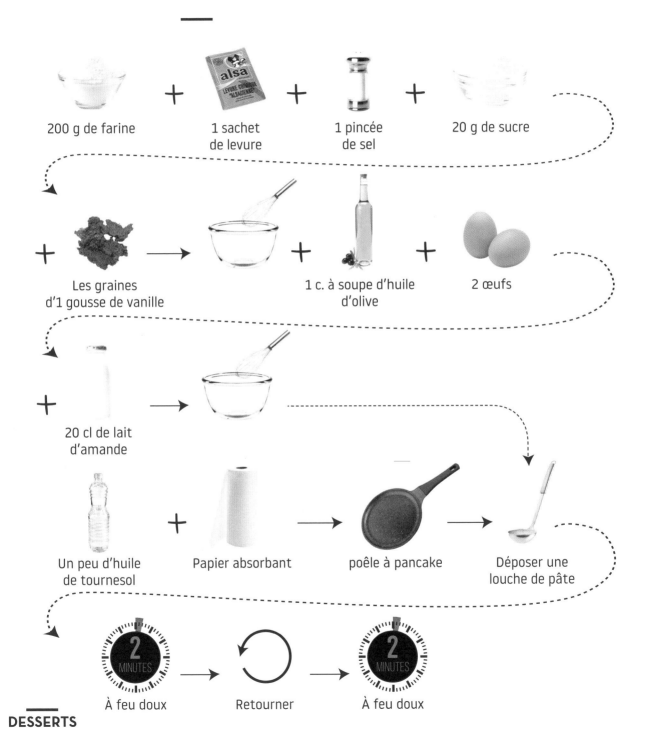

200 g de farine

1 sachet de levure

1 pincée de sel

20 g de sucre

Les graines d'1 gousse de vanille

1 c. à soupe d'huile d'olive

2 œufs

20 cl de lait d'amande

Un peu d'huile de tournesol

Papier absorbant

poêle à pancake

Déposer une louche de pâte

2 MINUTES
À feu doux

Retourner

2 MINUTES
À feu doux

65 PAIN *perdu*

—

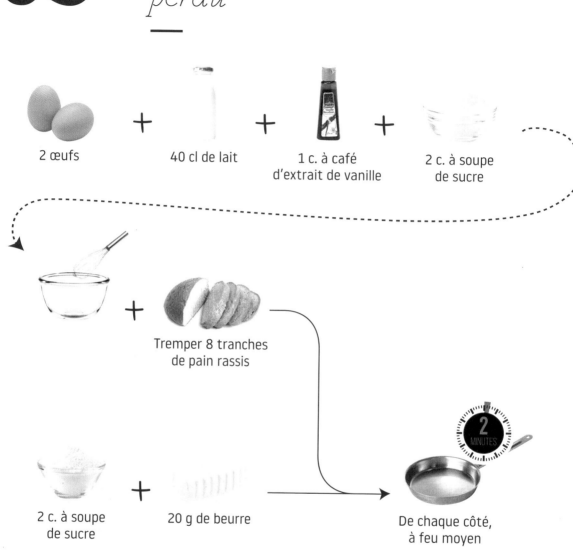

2 œufs + 40 cl de lait + 1 c. à café d'extrait de vanille + 2 c. à soupe de sucre

Tremper 8 tranches de pain rassis

2 c. à soupe de sucre + 20 g de beurre

2 MINUTES

De chaque côté, à feu moyen

LISTES DE COURSES

01
HOUMOUS
à la betterave

1 petite boîte de pois chiches
égouttée
1 petite betterave cuite
2 c. à soupe de beurre de cacahuète
3 c. à soupe de cacahuètes salées
1 citron
1 filet d'huile d'olive

02
CHIPS SANS FRITURE,
pecorino et poivre

2 grosses pommes de terre
4 c. à soupe d'huile neutre
40 g de pecorino

03
PAIN HÉRISSON
mozza et sauge

1 boule de pain complet
3 boules de mozzarella di buffala
2 gousses d'ail
3 c. à soupe d'huile d'olive
12 feuilles de sauge ciselées

04
TARTINES
comme une panzanella

2 tranches de pain
3 belles tomates bien mûres

1 oignon nouveau
3 c. à soupe d'huile d'olive
1 c. à café de vinaigre
4 brins de basilic
1 boule de mozzarella di buffala
1 gousse d'ail

05
CROQUETTES
de poulet au curry

500 g de blancs de poulet
2 c. à café de Tabasco®
4 échalotes
1 c. à soupe de curry en poudre
3 c. à soupe d'huile d'olive

06
ROULÉS D'ASPERGES
au jambon

1 botte d'asperges
12 tranches de jambon cru
1 filet d'huile d'olive
1 c. à soupe d'origan

07
SALADE
de melon

1 melon
2 petites courgettes
1 oignon rouge
2 c. à soupe d'huile d'olive
2 c. à soupe de vinaigre balsamique

08
TABOULÉ
de maïs

2 verres de semoule de maïs
4 c. à soupe d'huile d'olive
2 petites courgettes
2 carottes + 2 citrons
6 petits oignons + 1 poivron rouge
12 tomates cerises
Quelques feuilles de menthe

09
SALADE D'AVOCAT
et agrumes

1 pamplemousse rose
2 oranges + 1 avocat
2 oignons nouveaux
Le jus de ½ citron
Quelques brins d'aneth
et de menthe

10
SALADE
de brocolis au wasabi

1 ou 2 têtes de brocoli
1 c. à café de pâte de wasabi
4 c. à soupe de petits pois
au wasabi
Mayonnaise

11
SOUPE
de petits pois au lait d'amande

500 g de petits pois écossés
40 cl de lait d'amande
½ bouquet de menthe fraîche

12

POTAGE DE CAROTTE
et gingembre

—

1 kg de carottes
1 oignon
20 cl de lait de coco
1 c. à café de gingembre frais râpé
2 c. à café d'huile d'olive
1 cube de bouillon de volaille

13

SOUPE
de fanes de radis

—

2 bottes de radis
4 pommes de terre
1 cube de bouillon de légumes
20 cl de Soja cuisine

14

SOUPE MISO
aux légumes et tofu

—

1 carotte + 1 poireau
1 branche de céleri
200 g de chou chinois
200 g de pois gourmands
4 champignons de Paris
150 g de tofu nature
2 échalotes + 1 petit piment rouge
1 c. à café d'huile d'olive
4 c. à café de miso de riz
2 c. à soupe de coriandre ciselée

15

OMELETTE
au lard et au kale

—

4 petites feuilles de chou kale
4 tranches fines de lard fumé

25 g de beurre + 8 œufs
1 tige de ciboule

16

CROZETS
aux lardons et champignons

—

350 g de crozets au sarrasin
200 g de lardons
1 gros poireau émincé
200 g de champignons de Paris
1 cube de bouillon de légumes
1 c. à soupe de crème fraîche
Ciboulette ciselée

17

FILET MIGNON
au lait de coco

—

600 g de filet mignon de porc
2 échalotes
1 gousse d'ail
2 c. à café d'huile olive
20 cl de bouillon de légumes
10 cl de lait de coco
1 c. à café de curry

18

CASSOULET
express

—

400 g de haricots blancs en boîte
100 g de lardons + 1 bouquet garni
4 saucisses de Toulouse
400 g de purée de tomates

19

MÉDAILLONS
de porc au cidre

—

2 filets mignons de porc

30 cl de cidre + 2 oignons
4 c. à soupe d'huile d'olive

20

TROFIE À LA TOMATE
et aux saucisses

—

400 g de trofie + 1 gousse d'ail
4 saucisses italiennes
2 c. à soupe d'huile d'olive
10 cl de vin blanc
300 g de tomates concassées
20 tomates cerises

21

BOULETTES
de bœuf à la coriandre

—

500 g de viande de bœuf hachée
500 g de purée de tomate
1 oignon
2 c. à soupe de coriandre hachée
2 c. à café d'huile d'olive

22

CHILI
con carne

—

250g de haricots rouges en boîte
500 g de viande de bœuf hachée
400 g de tomates concassées
1 oignon rouge + 2 gousses d'ail
1 poivron rouge
2 c. à café d'huile olive + thym

23

COURGETTES
farcies

—

8 courgettes rondes
600 g de viande de bœuf hachée

LISTES DE COURSES

24
WOK DE BŒUF
au brocoli et aux carottes

1 oignon + 1 gousse d'ail
100 g de pignons de pin
1 c. à soupe d'huile d'olive
1 c. à café de ras el-hanout

400 g de pavé de bœuf
250 g de brocoli
250 g de carottes + 1 oignon
2 c. à café d'huile d'olive
Le jus de 1 orange
2 c. à café de sauce soja
15 g de miel

25
BROCHETTES
de bœuf et figues rôties

8 figues + 1 oignon rouge
600 g de rumsteck
2 c. à soupe d'huile d'olive
4 petites branches de thym
ou de romarin

26
INVOLTINI DE VEAU,
mozza et sauge, pois gourmands

4 fines escalopes de veau
1 citron + 1 boule de scamorza
12 feuilles de sauge
250 g de pois gourmands
30 g de beurre
3 c. à soupe d'huile d'olive

27
BOULETTES DE VEAU
et salade de mâche aux oignons

450 g d'escalopes de veau hachées
50 g de ciboulette
1 oeuf
1 oignon frais émincé
2 c. à soupe de chapelure
4 poignées de mâche
2 petits oignons frais
Vinaigre de vin
Huile d'olive

28
SAUTÉ DE DINDE
à la moutarde

600 g de filet de dinde
1 oignon
20 g de beurre
5 cl de vin blanc sec
2 c. à soupe de moutarde
à l'ancienne
20 cl de crème liquide
2 c. à soupe de ciboulette

29
NUGGETS DE POULET
aux corn-flakes

4 fines escalopes de poulet
1 c. à soupe de moutarde forte
1 c. à soupe de thym sec
2 poignées de corn flakes
2 c. à soupe d'huile de tournesol
2 œufs
1 citron

30
AIGUILLETTES
de dinde aux poireaux

500 g de filets de dinde + 4 poireaux
1 cube de bouillon de légumes
2 c. à soupe d'huile d'olive
Graines de sésame

31
ONE POT DE POULET
à la thaïe et riz sauvage

400 g de blancs de poulet
300 g de riz sauvage
3 c. à soupe de coriandre
4 gousses d'ail + 1 c. à café de curry
2 ciboules 1 poivron rouge
1 cube de bouillon de poule
2 c. à soupe de sauce soja
1 bâton de citronnelle
½ c. à café de gingembre en poudre
2 c. à soupe d'huile d'olive

32
AIGUILLETTES DE POULET,
haricots verts et amandes

500 g d'aiguillettes de poulet
500 g de haricots verts
30 g d'amandes effilées
1 c. à soupe d'huile d'olive

33
CANARD CONFIT
en feuilles de brick

4 cuisses de canard confit
4 fines tranches de bacon
ou de lard fumé
4 grandes feuilles de brick

4 poignées de mesclun
Vinaigre balsamique + huile d'olive

34

AIGUILLETTES

*de canard aux figues
et aux échalotes*

400 g d'aiguillettes de canard
200 g de figues + 4 échalotes
1 filet d'huile d'olive
3 c. à soupe de vinaigre balsamique

35

SALADE DE CRABE

et vinaigrette citron-miel

2 boîtes de crabe + 2 avocats
1 mangue + ½ botte de radis
1 sachet de mesclun + 1 citron vert
6 brins de menthe
1 c. à soupe de miel
5 cl d'huile d'olive

36

CABILLAUD ET POÊLÉE

d'edamame au sésame

4 filets de cabillaud + 1 citron
400 g d'edamame surgelés
4 c. à soupe d'huile de sésame
1 c. à soupe de sauce soja
1 c. à soupe de graines de sésame

37

PAPILLOTES DE COLIN

et légumes à la moutarde

2 filets de colin
1 petite courgette
1 carotte

3 c. à soupe d'huile d'olive
1,5 c. à soupe de moutarde
à l'ancienne
1 c. à café d'herbes de Provence

38

MERLAN PANÉ

et sauce tartare légère

4 filets de merlan
6 c. à soupe de farine
12 c. à soupe de chapelure
1 œuf
2 cornichons
2 c. à café de câpres
1 c. à soupe de persil
1 c. à soupe d'estragon
12 brins de ciboulette
200 g de yaourt grec
3 c. à soupe de mayonnaise
Huile d'olive et huile de friture

39

DOS DE MERLU

aux carottes et au citron

4 filets de merlu
2 carottes
10 cl de vin blanc sec
1 citron
2 échalotes
1 branche de thym

40

FILETS DE DAURADE

gratinés à la sicilienne

4 filets de daurade
70 g de chapelure
50 g de pecorino râpé
2 brins de romarin
1 c. à soupe de graines de fenouil
3 c. à soupe d'huile d'olive

41

SALADE TIÈDE

de pommes de terre au saumon

1 kg de pommes de terre grenailles
4 tranches de saumon fumé
1 citron non traité
4 brins d'aneth + 1 oignon nouveau
20 cl de crème fraîche épaisse
4 c. à soupe d'huile d'olive

42

PAPILLOTES DE TRUITE

à la poêle

4 filets de truite
4 échalotes + 1 carotte
20 tomates cerises
1 bouquet de ciboulette
4 c. à soupe de vin blanc
4 c. à soupe de crème fraiche

43

POÊLÉE DE SAUMON

au céleri

500 g de saumon en morceaux
1 céleri boule en petits dés
1 citron en rondelles
2 feuilles de laurier + huile d'olive
1 c. à soupe de graines de coriandre
1 branche de coriandre ciselée
2 branches de cive émincées

44

PAD THAÏ

aux crevettes

250 g de crevettes crues
décortiquées
240 g de nouilles de riz

LISTES DE COURSES

1 carotte + 2 gousses d'ail
100 g de pousses d'épinards
120 g de germes de soja
3 tiges de ciboule
4 œufs
1 pincée de flocons de piment séché
4 c. à soupe de cacahuètes concassées
Quelques feuilles de coriandre
4 c. à soupe de nuoc-mâm
4 c. à soupe de sauce soja
4 c. à café de sucre roux
2 citrons verts + huile neutre

45
PAËLLA

400 g de riz + 2 pincées de safran
300 g de crevettes crues entières
150 g de moules fraîches ou surgelées, décortiquées
120 g de petits pois frais écossés
70 g de chorizo
½ poivron rouge
1 oignon rouge
1 gousse d'ail
1 cube de bouillon de poule
2 tomates pelées au jus
20 cl de vin blanc
Quelques quartiers de citron
Persil

46
OMELETTE
aux champignons de Paris

800 g de champignons de Paris
8 œufs frais
1 botte de ciboulette
70 g de beurre salé

47
SPAGHETTIS
à la carbonara végétarienne

500 g de spaghettis
200 g de tofu fumé
2 oignons émincés
3 c. à soupe de crème fraîche
30 g de parmesan râpé
4 jaunes d'œufs
Huile d'olive
persil

48
ŒUFS À LA TOMATE
et à l'ail

4 œufs
6 tomates
3 gousses d'ail
1 c. à soupe d'huile d'olive
3 branches d'origan

49
SPAGHETTIS
de courgettes crues et crème d'avocat à la menthe

2 courgettes
3 avocats
1 gousse d'ail
1 échalote
le jus d'1 citron
Quelques feuilles de menthe fraîche

50
CONCHIGLIONI
aux artichauts

400 g de conchiglioni de couleurs
12 petits artichauts à l'huile
100 g de parmesan en copeaux
½ bouquet de ciboulette ciselée
3 c. à soupe d'huile d'olive
Le zeste de 1 citron

51
PÂTES
aux brocolis

1 brocoli + 4 anchois
320 g d'orrecchiette
3 c. à soupe d'huile d'olive

52
CONCHIGLIONI FARCIS
aux épinards

500 g de conchiglioni
500 g de ricotta + 2 oignons
300 g d'épinards hachés
250 g de tomates concassées
1 c. à soupe d'huile d'olive
1 c. à soupe de parmesan râpé

53
SAUTÉ
de haricots plats

400 g de tofu en dés + un peu d'huile
1 poivron rouge émincé
500 g de haricots plats
1 morceau de gingembre
5 c. à soupe de sauce d'huître
4 branches de cive émincées
2 c. à soupe de sésame

54
POÊLÉE DE TOFU FUMÉ
aux oignons et aux amandes

---

400 g de tofu fumé
3 gros oignons
20 cl de vin blanc sec
20 g d'amandes effilées
1 c. à soupe d'huile d'olive

55
GRATIN DE PANAIS
au curry et aux noisettes

---

1 kg de panais
1 gousse d'ail
50 cl de crème fraîche épaisse
1 c. à soupe de curry
125 g de noisettes décortiquées

56
GALETTES
de patates douces

---

2 grosses patates douces
2 oeufs
10 noisettes
Thym
2 c. à soupe d'huile d'olive

57
FONDANT
au chocolat

---

200 g de chocolat noir
150 g de beurre demi-sel
150 g de sucre en poudre
50 g de farine
3 œufs

58
TARTE
aux framboises express

---

1 pâte sablée + 2 c. à soupe
bombées de mascarpone
20 cl de crème liquide bien froide
40 g de sucre en poudre
250 g de framboises
Le zeste d'½ citron

59
TARTE AUX POMMES
à la cannelle

---

1 pâte feuilletée + 5 pommes
2 c. à café de cannelle en poudre
2 c. à café de sucre en poudre
2 c. à café de sucre roux
1 c. à café de vanille en poudre
20 g de beurre fondu

60
TARTE
choco-noisette

---

200 g de biscuits au cacao
60 g de beurre
200 g de chocolat praliné
15 cl de crème fleurette
200 g de chocolat noir
100 g de noisettes concassées

61
SOUFFLÉS
à la ricotta et au citron vert

---

250 g de ricotta 1 citron vert
2 œufs + 60 g de sucre roux
30 g de farine

62
FRUITS RÔTIS
rhumés

½ mangue + 125 g de fraises
3 c. à soupe de sucre de canne
2 c. à soupe de rhum brun
Le jus de 1 citron vert
75 g de framboises + 75 g de myrtilles

63
GRATIN DE FRAMBOISES
à la crème d'amande

---

125 g d'amandes en poudre
80 g de beurre ramolli
100 g de sucre en poudre
1 c. à soupe de farine
1 c. à soupe de crème liquide entière
1 œuf + 1 jaune 400 g de framboises

64
PANCAKES
au lait d'amande

---

200 g de farine
20 cl de lait d'amande
1 gousse de vanille + 2 œufs
1 sachet de levure chimique
20 g de sucre en poudre
1 c. à soupe d'huile d'olive
Huile de tournesol

65
PAIN
perdu

---

2 œufs + 2 verres de lait
1 c. à café d'extrait de vanille
4 c. à soupe de sucre
8 tranches de pain ou de brioche
20 g de beurre

INDEX DES RECETTES PAR INGRÉDIENT

CRÉDITS DES RECETTES

© Larousse, Bérengère Abraham : 03, 11, 20, 50, 58 ; © Larousse, Vincent Amiel : 06, 43, 53 ; © Larousse, Séverine Augé : 35, 62 ; © Larousse, Anna Austruy : 08, 17, 22, 27, 29, 33, 36, 42, 54, 56 ; © Larousse, Blandine Boyer : 01, 26, 37 ; © Larousse, Audrey Cosson : 64 ; © Larousse, Élise Delprat-Alvarès : 18, 21, 23, 28, 39, 48, 52 ; © Larousse, Camille Depraz : 07, 25, 46 ; © Larousse, Monique Depraz-Guilbert : 05, 30 ; © Larousse, Pauline Dubois : 14, 16, 31, 40, 44, 45, 55, 63 ; © Larousse, Sophie Dupuis-Gaulier : 15 ; © Larousse, Coralie Ferreira : 04, 09, 38, 41, 51, 57, 60, 65 ; © Larousse, Ellen Frémont : 49 ; © Larousse, Anne Loiseau : 10, 19 ; © Larousse, Mélanie Martin : 02 ; © Larousse, Catherine Moreau : 13 ; © Larousse, Clémence Roquefort : 47 ; © Larousse, Aude Royer : 12, 24, 59 ; © Larousse, Noémie Strouk : 34, 61 ; © Larousse, Béatrice Vigot-Lagandré : 32.

CRÉDITS DES PHOTOGRAPHIES

© Larousse, Fabrice Besse : 07, 12, 24, 25, 46, 59 ; © Larousse, Aimery Chemin : 09, 38, 41, 51, 57, 60, 65 ; © Larousse, Emanuela Cino : 02, 05, 10, 19, 30 ; © Larousse, Guillaume Czerw : 15, 64 ; © Larousse, Charly Deslandes : 03, 04, 35, 62 ; © Larousse, Sophie Dumont : 08, 17, 22, 27, 29, 33, 36, 42, 54, 56 ; © Larousse, Ellen Frémont : 49 ; © Larousse, Amandine Honegger : 18, 21, 23, 28, 32, 39, 48, 52 ; © Larousse, Marie-José Jarry : 11, 20, 50, 58 ; © Larousse, Claire Payen : 06, 43, 53 ; © Larousse, Aline Princet : 40, 55, 63 ; © Larousse, Olivier Ploton : 26, 34, 47, 61 ; © Larousse, Philippe Vaures Santamaria : 13 ; © Larousse, Fabrice Veigas : 01, 14, 16, 31, 37, 44, 45.

CRÉDITS DES PACKSHOTS
© Larousse, © Shutterstock, © Thinkstock.

COUVERTURE
© Larousse, Sophie Dumont.

Direction de la publication : Isabelle Jeuge-Maynart et Ghislaine Stora
Direction éditoriale : Émilie Franc
Édition : Alice Delbarre
Conception graphique et couverture : Valentine Antenni
Adaptation et mise en pages : Émilie Laudrin
Fabrication : Donia Faiz et Émilie Latour

© Larousse 2019
ISBN : 978-2-03-596740-4
Photogravure IGS-CP, 16 L'Isle d'Espagnac
Imprimé en Espagne par Estella Graficas
Dépôt légal : février 2019
322895/01 – 11039920 – novembre 2018

LAROUSSE s'engage pour l'environnement en réduisant l'empreinte carbone de ses livres. Celle de cet exemplaire est de : 1,1 kg éq. CO$_2$ Rendez-vous sur www.larousse-durable.fr

PAPIER À BASE DE FIBRES CERTIFIÉES